答えを急がない勇気

ネガティブ・ケイパビリティのススメ

枝 廣 淳 子

イースト・プレス

目次

第5章

ネガティブ・ケイパビリティを高める方法

はじめに　答えを急いではいけない時がある

ネガティブ・ケイパビリティ

もし、今私たちが突然、

「確実なことが何もなく、どうにも対処のしようがない」

「かつて経験したことがないために、解決の糸口がどうしても見つからない」

「先行きがまったくみえない」

そんな状況に直面してしまったら、いったいどうしたらいいでしょうか？

なす術もなく、不安と焦りを抱えながら呆然と立ち尽くしてしまう。

遮二無二行動を起こして、早く解決しようと奔走する。

まわりを見渡して、みんなと行動を合わせながら、様子見を決め込む。

人によって対応は様々だと思います。

こうした時に、困難な状況にもうろたえず、適切に対処するためのヒントとなるのが、「**ネガティブ・ケイパビリティ**」です。

聞きなれない方も多いと思いますが、それと気づかずに発揮されている例も意外に多く、これからお話しすることのいくつかは、「あ、それならやっているよ」と思われることもあるかも知れません。

「ネガティブ・ケイパビリティ」を発揮できる人は、不可解な物事を目の当たりにしたり、対応の手段がわからなくても、動じることがありません。内心では動揺していたとしても、不安や焦りにじっと耐えることができるのです。

こころの動揺にじっと耐えながら、物事の本質をしっかりと見定めようと努めます。いろいろな考えが渦巻きますが、判断を保留し続けます。結論を急ぎません。

「わからない」ことや自分にとって不都合なことも受け容れ、「答え」の手掛かりが見つかるのを待ち続けることができるのです。困難を乗り越えたり、これまでになかった独創的なアイデアを思いつくのは、これができる人々です。

本書ではこうした「ネガティブ・ケイパビリティ」の特徴や事例を、順を追ってお話ししていきます。

「素早さ」と「わかりやすさ」が求められる現代

現代は「ＶＵＣＡの時代」と言われます。不安定（Volatility）、不確実（Uncertainty）、複雑（Complexity）、不明瞭（Ambiguity）を特徴とする、複雑で先の見えない時代なのです。

テクノロジーの進化や社会環境の変化など、私たちをとりまく状況はすさまじい勢いで大きく変化しています。かつて当たり前だった方法論や常識は、すぐに古くて役に立たないものになり、日々変化・複雑化する状況に、これまで直面したことのないような新たな問題もたくさん発生します。

こうした世情を反映してでしょうか、私たちのまわりでは、かつてないほど「素早さ」、「問題解決」、「わかりやすさ」が重要視されてきています。とにかく効率の良さを求め、物事を単純化して整理し、誰が見てもわかりやすい説明で表現する。困ったことが起きたら、いかに手短に解決できるかが、価値の高いことだと思われています。ちまたでは「時短」を売りにしたサービスが大量に提供されています。通信サービスの高速化、電話一本で素早く届く宅配サービス、時短家電、移動時間の短縮や有効利用、さらには読書時間の短縮のためのオーディオブック。映画や録画番組を倍速で視聴する人も少なくないとか。

とにかく時間を有効活用し、無駄な時間を削ろうという風潮が強くなっていて、「コスパ」(コストパフォーマンス)だけでなく、「タイパ」(タイムパフォーマンス)が人々にとって大事なモノサシになりつつあります。

また「わかりやすさ」も同様です。

インターネットの世界を中心に、短くて端的な物言いや、「白黒をつける」やり方が好まれ、広がっています。SNSで瞬時に短文をやりとりし、映像で視覚・聴覚など感覚で受け取れる情報も多いです。検索して手軽に「答え」を得ることが当たり前の時代なのです。

物事の一部だけを切り取った「短く」、「わかりやすい」言葉は、瞬く間に拡散していきます。インパクトの強い極端な物言いは、印象に残るため、「わかった」と強く錯覚させる力を持ちます。適当な答えを見つけて「わかった」つもりになれれば、考える労力を省略できます。

「はやく」、「わかりやすく」思い通りに何でも「解決」することが当たり前のようになってきています。

そんな中、私たちの多くは、何か思い通りにいかない状況にぶつかると、「何が問題か」と原因（と思われるもの）を素早く見つけ、すぐに「どうしたら良いか」、「何をしたらよいか」と早急な解決策を考えるくせがついています。自分だけでなく、他の人にも「迅速な答え」を求めます。

たとえその問題に複雑で不確実なところがたくさんあり、すぐに判断したり決定したりすることができないものであったとしても、人も社会も、ついつい解決を急ごうとしてしまいます。「わからない」ままでいたり、事がすんなりと運ばないことが、不快で居心地が悪いのです。

どんどん忙しくなり、次々と急かされる状況下では、物事に対して「熟慮する」、「待つ」態度は歓迎されません。「まだよくわからないところがあるから、もう一度考えてみよう」、「こうかもしれないけど、でも何だか違和感があるから、少し立ち止まって、今は判断しないようにしよう」などと構えていたら、外側からは、何らの思考も行動も解決策も見えませんから、「こいつは何もしていない」と思われてしまう。場合によっては、「できないやつだ」とされてしまうかもしれません。そんなまわりからの無言の圧力と、そもそもの「わからないままでいることの居心地の悪さ」が相まって、つい性急な解決策（のようなもの）に飛びつこうとするのです。

「わかりたい」と思うのは仕方がない

しかし、この傾向はこの時代や今の人々のせいだけでもありません。すぐに「わかろう」、「わかった」とするのは、人間の進化の結果でもあるのです。H・グラント、

T・ゴールドハマーがハーバードビジネスレビュー2021年9月号の「自分の脳について無知なままでは、不確実性に対処することはできない」という論文で示したように、人類は進化の結果、不確実性を嫌うようになったのです。要約を紹介します。

人類の歴史の中で、人間はほぼ予測可能な生活をしてきたため、私たちの脳は、パターン認識や習慣化において非常に優れた進化を遂げ、複雑な一連の行動でも意識せずに自動で行えるようになってきた。

脳は不確実性を嫌うように進化してきたため、物事が予測・コントロールしにくくなると、私たちは強い脅威を感じる。脅威を感じると、脳は「闘うか、凍りつくか、逃げるか」というモードになり、モチベーションや集中力、敏捷性、協調性、自制心、目的意識、ワーキングメモリも低下する。人間の脳は不確実な脅威に対処するように進化してきたのではないからだ。

また、『「わかる」とはどういうことか―認識の脳科学―』で、著者の山鳥重氏が

「意味がわからないと、わかりたいと思うのは心の根本的な傾向です」と、何でも意味を見つけたがる私たちについて、わかりやすく説明しています。

われわれは何にでも意味を見つけたがります。どんなものでも意味がなくては落ち着きません。意味とは、とりもなおさず、わからないものをわかるようにする働きです。目の前に得体の知れないモノを突き出されると、われわれの心は当惑します。必ず「それ、何？」と聞きます。あるいは思わず手を伸ばして触ろうとします。触って何かわかろうとするのです。あるいは、それほど素直でない人は、心の動揺を隠して、知ったかぶりをしつつ、心の中では必死になって、それが何かを知ろうと手掛かりを求めます。意味がわからないままではわれわれの心は落ち着きません。それが生物としての自然な傾向なのです。

山鳥氏は、「わかったという信号が出ると、心に快感、落ち着きが生まれる」と言います。このように、「わかる」、「わかった」を求めるのが、人間としての進化の結果としての根本的な傾向だとしたら、私たちがそうしがちなのも無理ありません。

本能的にも時代状況的にも、ますます「ぱっと理解し、ぱっと反応する」ことを求められる社会に、私たちは生きているのです。

ポジティブ・ケイパビリティの時代

そんなクイック・ソリューションの時代に重宝されるのが、「**ポジティブ・ケイパビリティ**」です。

ポジティブ・ケイパビリティとは、「情報を収集する能力」、「分析する能力」、「計画を立てる能力」、「資料を作成する能力」、「スピーチをする能力」、「文章を書く能力」、「プレゼンテーションをする能力」など、「物事を処理する能力」であり、いわゆる「問題解決能力」と言われるものです。

現代は、「生まれてから死ぬまで、人生すべてポジティブ・ケイパビリティ」の時代とも言えるでしょう。

小さい頃から、家でも保育園・幼稚園でも、「早くしなさい」と急かされ、学校では先生の手の中にある〝答え〟にいかにすばやく達するかが大事になります。じっくりゆっくり考えて正解にたどりついても、テストの時間内に終わっていなければ「×」です。

算数・数学では、「1つの問題に対して、できるだけいろいろな方向から眺め、できるだけいろいろな方法で解くことで、思考の幅を広げ、真の実力を培うことができる」と言われますが、1つの問題に何種類もの解き方を考えるよりも、1つの問題には1種類の解き方でよしとして、次々と問題を解いていったほうがテストの成績は良くなります。いろいろな方向から眺めて「うーん」と考え込んだり、「こんなやり方もあるかな」、「これはどうだろう?」と試行錯誤していては、効率が落ちてしまいます。

余談ですが、私の著書もときどき入試問題に使ってもらうことがあります。入試という性格上、事前に通知されることはなく、入試が終わった後で、「このように使用させていただきました」と、入試問題が送られてきます。

自分の書いた文章の一部が引用され、「次の文章を読み、下線部分で著者が伝えたかった考えを、（ア）〜（エ）から選べ」といった問題になっていることもあるのですが、「うーん……、著者である私にもわからない……」ということも（!）。そんなに単純じゃないんだけどなあ、もっと入り組んでいて、微妙で、（ア）〜（エ）の四択に分けられるようなものじゃないだけどなあ……と思うのです。でも、受験生は時間内にどれかを選ばざるを得ず、選んだものによって点数が変わるのですよね。

首尾良く高校や大学に入った学生たちは、就活でポジティブ・ケイパビリティを最大限に発揮しながら、インターンシップに参加し、自己分析を行い、仕事研究を行い、自己PRをつくり、エントリーシートを書き、企業説明会に参加し、筆記試験、面接をくぐり抜けて、何とか内定にたどり着こうとします。

就職後も、期待されるのはポジティブ・ケイパビリティ。問題をすばやく見出し、分析し、解決策を提示していく。「スピード」、「決断力」が重要なのです。だって、問題は次々と出てきてしまいますから！ 競合他社に先を越されては負けてしまいますから！

プロジェクト、プロブレム（問題）、プロポーザル（提案）、プロミス（約束）、プロモーション（昇進）など、ビジネスの世界には、「プロ」で始まる単語があふれています。このpro-という接頭辞は、「〜を前へ」という意味を持っています。さまざまなものを、前へ前へと進めていく。そこには立ち止まったり、考え直したり、後戻りしたり、という余地はありません。どんどん進んでいく！　しかないのです。ポジティブ・ケイパビリティの世界です。

ポジティブ・ケイパビリティを重視する考え方は、ビジネスだけではありません。教育においても、子どもたちのすばやい問題解決能力を育成することをめざす勉強が主流となっていますし、医療においても、できるだけ早く患者の問題を発見し、できるだけ早くその治療を図ることが求められています。

精神科医であり、作家でもある帚木蓬生氏が『ネガティブ・ケイパビリティ　答えの出ない事態に耐える力』のなかで、ご自身が受けた医学教育についてこのように書いています。

できるだけ早く患者さんの問題を見出し、できるだけ早く、その解決を図ることか至上命令になります。あまり迷いがあってはいけません。症状から、いくつもの鑑別診断を思い浮かべ、早急に検討して、快刀乱麻、解決法を見つけるのです。これは言うなれば、ネガティブ・ケイパビリティとは反対の、ポジティブ・ケイパビリティの育成です。

そして、人生の最期に向けても、「計画的な終活」が求められる時代です。私たちは死ぬまでポジティブ・ケイパビリティを発揮することが期待されているのです！

このように重視され、あらゆる人に求められているポジティブ・ケイパビリティですが、あらゆる場面で有効なわけではありません。また、ポジティブ・ケイパビリティ偏重がもたらす弊害の可能性も指摘されています。

たとえば、

- 問題の対症療法にとどまってしまう
- 部分最適に陥ってしまう
- 安易な選択や集中を行ってしまう
- 答えのある問題しか取り上げない
- 解決法や処理法がないような状況からは逃げ出すか、はじめから近づかない

ポジティブ・ケイパビリティの発揮は、「その能力を発揮すべき状況や問題がわかっていること」、そして「その能力を発揮するやり方を知っている、または学ぶことができること」が前提となっています。こういった前提が成立しない問題には、ポジティブ・ケイパビリティだけでは対処できません。

従来の方法では解決できない問題と、問題解決を急ぎたい状況のジレンマです。この両者の間を埋めるピースが必要となります。

ここで登場するのが、ネガティブ・ケイパビリティなのです。

ネガティブ・ケイパビリティはもう一つの大事な能力

「ケイパビリティ」(capability)という単語は、「capable(〜する能力がある)」の名詞形で、「能力、才能、才覚」のこと。何らかの行動をすることができる能力、ということです。

「ケイパビリティ」は「何かができる」というポジティブな意味合いですから、それに「ネガティブ」をつけた「ネガティブ・ケイパビリティ」は、矛盾する2つの語句を組み合せた言葉のようで、何のことだろう?　と思われる方も多いでしょう。

私は、各人が幸せに自分らしく生きていくために、さまざまな課題に対する本質的な解決策を考えるために、また持続可能な組織や地域や社会をつくるために、個人も企業・組織も地域も国も、ポジティブ・ケイパビリティだけでなく、ネガティブ・ケイパビリティが必須であると考えています。

「自動車にはアクセルとブレーキの両方が必要であるように、私たちにもポジティブ・ケイパビリティとネガティブ・ケイパビリティの両方が必要。だから、ネガティブ・ケイパビリティも身につけて、場面にあわせて、どちらも使えるようにしておきましょう！」このメッセージと具体的な方法を伝えたくて、本書を書きました。

「ネガティブ・ケイパビリティ」とは、どのような能力なのでしょうか？　なぜそれが、私たち一人ひとりにとっても、企業や組織にとっても、家庭や子育てにとっても、まちづくりにとっても、世界中の国にとっても、今の時代に（そして今後ますます）大事になってくるのでしょうか？

そして、このように大事なネガティブ・ケイパビリティを身につけ、はぐくみ、高めていくためには、どうしたらよいのでしょうか？

私は25年ほど前から環境問題に取り組むようになり、大学院時代にトレーニングを受けたカウンセリングの実体験やスキルをベースに、地域でのビジョンづくりや地域経済活性化、脱炭素に向けたお手伝い、企業や組織向けの研修やワークショップなど、持続可能で幸せな社会につながると思う活動を行ってきました。悪化の一途をたどる環境・社会問題を前に、近代西洋思想の行き詰まりを感じ、10数年前から東洋思想の勉強も進めています。独自の全人格経営リーダーシップ教育を提供するビジネススクール・大学院大学至善館の社会人向けＭＢＡプログラムで次世代リーダーの育成にもあたっています。

このような活動を通して、一人ひとりの、企業や組織の、地域や社会の、ネガティブ・ケイパビリティの重要性をひしひしと感じています。世界でもネガティブ・ケイパビリティに関する研究が盛んになりつつあります。これからますますネガティブ・ケイパビリティが重要となる時代が来る、と思うのです。

これから、ネガティブ・ケイパビリティとは何か、どのように身につけ、実践したらよいのかを事例や具体例を挙げながらお話ししていきましょう。これからの激動の時代を上手に進んでいくための必須の能力をぜひ身につけてください。

ネガティブ・ケイパビリティの世界へようこそ！

第 1 章

ネガティブ・ケイパビリティとはそもそも何なのか

「しないでおく」能力

ネガティブ・ケイパビリティとは、何かを「しないでおく」能力です。「しないでおく能力?」――少しわかりにくいかもしれませんね。身近な例を話しましょう。

だれかの悩み相談の相手になったことがあるでしょう? 相手が話す悩みを聞いていると、何だか自分が落ち着かない感じがしてきて、そんな居心地の悪さにパッとフタをしたくなって、「だったらこうすればいいんじゃない?」と咄嗟にアドバイスめいたことを口にしたり、「そんなこと、悩む必要なんてないよ」と言ってしまったりしたことはありませんか?

私たちは、何だかよくわからない、はっきりしない話は苦手なのですね。白黒はっきりしている話はわかりやすいのですが、悩み相談というのはだいたい、行ったり来たり、ああでもない、こうでもない、こうなんだけど、でもそれだけじゃない……みたいな話なので(本人も白黒はっきりできれば悩んでいないでしょう!)、どう対処して良いかわからなくなってしまう。

そこで、相手の話の中から、自分が「わかった」と思った部分を取り出して、「こうすればいいんじゃない？」とぱっと解決策らしいものを渡してあげたくなるのです。または、その悩んでいる状態を「悩む必要はないよ」とバッサリ切り捨てたりするのです。

こういうとき、「だったらこうすればいいんじゃない？」、「そんなの、悩む必要なんてないよ」と言う言葉がけは、実は「相手のためを思って」ではない場合も少なくないかもしれません。

自分では「相手のため」のつもりでも、本当は自分自身の居心地の悪さを解消したくて、話にキリを付けたくて言っていることも多いのでは？（その証拠に、あなたのその発言に相手が「でも……」「そうはいうけど……」とまた、行ったり来たり、ああでもない、こうでもない、が始まりそうになると、イライラしてしまいませんか？）

このとき、ネガティブ・ケイパビリティがある人ならば、行ったり来たりする相手の話に、先が見えなくても、どこまで続くのかわからなくても、こちらも行ったり来たりしながら、付いていくことができます。

「こうなんだけど、でも……」と始まっても、「さっき、こうだって言ったでしょ！」と突っ込まずに、「うん、うん、でも、どうなの？」と、相手に寄り添って聴いてあげる。相手がじっと黙り込んでも、焦って言葉を掛けたりしません。相手の様子を感じつつ、こちらもじっと黙って落ち着いて、ひたすら待ち続けます。

それは、すぐに結論を出したり、判断を下したり、わからないとイライラしたり、決めつけたり、諦めたり、逃げたり、思考停止したり、というようなことを「しないでおく」能力を持っているからできるのです。これが「しないでおく」という能力、つまりネガティブ・ケイパビリティの例です。

新しい思考・認識の出現を待つために立ち止まる

「ネガティブ・ケイパビリティ」という言葉は、これから紹介していくように、さまざまな分野や領域で使われるようになっており、「これがネガティブ・ケイパビリティである」というような、唯一の定まった定義があるわけではありません。それでも、提唱者や研究者の出しているいくつかの説明を読むと、そのイメージが浮かび上がってくると思います。

- 事実や理由をせっかちに求めず、不確実さや不思議さ、懐疑のなかにいられる能力
- どうにも答えの出ない、どうにも対処しようのない事態に耐える能力
- 曖昧さやパラドックスと共存し、それを許容する能力
- 「すべてはわかっていない」状態を良しとし、中途半端な知識を合理化したり、事実を追い求めたり、既存の知識や考え方で思考停止したりすることなく、不確実で曖昧な状態のなかにとどまる能力
- 違和感を抱えたまま、とどまる力

ひと言で言えば、ネガティブ・ケイパビリティとは「不確実性を許容する高度な能力」です。だからこそ、困難な状況下でも考え続けることができ、多様で矛盾した考えを受け入れることができるのです。「知的寛容さ」と表現する研究者もいます。

ここにもあるように、ネガティブ・ケイパビリティの概念では、「不確実性」という言葉がよく出てきます。「不確実性」に似た言葉に「リスク」がありますね。「リスク」という言葉は、これまでのデータなどを用いて将来起こることが予測される場合に使われますが、「不確実性」という言葉は、発生確率はおろか、何が起こるのかさえ予測も計算もできない場合に使われるものです。予測もできないからこそ、不安を呼び起こします。脅威に感じられます。その不安や脅威に押し流されることなく、不確実であることを受け容れる能力がネガティブ・ケイパビリティなのです。

「ネガティブ・ケイパビリティって、何もしないこと?」と誤解されることもありますが、そうではありません。ネガティブ・ケイパビリティとは、

● 諦めることではない

- 現実を甘受することでもない
- 平凡さを許容することでもない
- 思考停止することでもない
- 何日も先延ばしにすることでもない
- 決断すべきことをただ忘れようとすることでもないし、それが消えることを願うことでもない

のです。

「行動する」、「介入する」、「意思決定する」といったポジティブ・ケイパビリティに比べると、「待つ」、「観察する」、「耳を傾ける」、「辛抱する」といったネガティブ・ケイパビリティは〝弱い能力〟に見えるかも知れません。

でも、簡単に「反応しない」、「判断しない」、「結論を出さない」、「思考停止しない」、「切り捨てない」、「不安や恐怖、非難にも屈しない」ということは、すぐに「行動する」、その場で「決めてしまう」ことよりも難しいことも多いのです。諦めたり

思考停止したりしてラクになることを選ばず、敢えて、わからなさの中にとどまり続ける能力です。「持ちこたえる能力」、「待ち続ける能力」とも言えるでしょう。

「優柔不断とどう違うの？」という声も聞こえてきそうです。「優柔不断」に加えて、「どっちつかず」、「先延ばし」、「曖昧」、「ぐずぐず」、「中途半端」といった言葉はそれこそネガティブな意味で使われますが、これらとネガティブ・ケイパビリティは、どう違うのでしょうか？　すぐに結論や行動が見えない、という点では同じように見えるかも知れません。しかし、ただの「決められないという優柔不断」と、「意思と目的を持って、そこでは結論を出さないでおくこと」は異なるのです。

精神分析医のアイソルドは、「ネガティブ・ケイパビリティとは、新しい思考や認識の出現を可能にするために、不安や恐怖に耐え、確実性のない場所にとどまる能力」と定義しています。不安に耐えたり不確実な場所にとどまること自体が目的なのではなく、その結果として「新しい思考や認識が出現」するために発揮するのがネガティブ・ケイパビリティなのです。立ちすくむのではなく、真実に近づくために立ち止まる勇気です。

コンピュータやＡＩ（人工知能）にはない能力

近年、「いかにＡＩの活用を競争優位性につなげるか」という議論や実践とともに、「そのうち、ＡＩに仕事を奪われ、人の雇用がなくなってしまう！」といったＡＩ脅威論も聞かれるようになってきました。

ＡＩとは、「言語の理解や推論、問題解決などの知的行動を人間に代わってコンピュータに行わせる技術」だと説明されています。これまでは人間にしかできなかった知的行動（認識、推論、言語運用、創造など）を対象に、その知的行動を行うための手順（アルゴリズム）と必要なデータ（事前情報や知識）を与えることで、機械的に実行する、というものです。

アルゴリズムとは、「この問題はこう解く」と、その手順を単純な計算や操作の組み合わせとして明確に定義したものです。「こういう場合にはこうする」とアルゴリズム化できる知的作業はすべて、ＡＩができるようになると考えられています。

「情報を収集する」、「分析する」、「分析結果に基づいて意思決定する」といったポジティブ・ケイパビリティの多くはＡＩで置き換えられるかもしれません。しかし、理解や判断、問題解決などを「しないで置いておく能力」であるネガティブ・ケイパビリティは、ＡＩには持ちえない能力ではないでしょうか。

「こういう場合は判断しない」、「こういう場合はそのまま置いておく」とアルゴリズム化ができればＡＩ化できるのでしょうけど、ネガティブ・ケイパビリティは、その都度、相手や状況によって揺れ動き、不安定で、再現性も予測可能性もない状況の中に居続ける能力です。「全停止」でもありません。ＡＩが経済や社会の中で主流となってくる時代だからこそ、人にしか発揮できないネガティブ・ケイパビリティが重宝されるようになるのではないか、と思うのです。

ちなみに、「ＡＩが人の雇用を奪う！」と（学界や産業界だけでなく、ワイドショーなどでも）大きな議論を巻き起こしたのは、２０１３年に発表されたオックスフォード大学のフレイとオズボーンの「雇用の未来」という論文でした。７０２の職業別にコンピュータ化の可能性を推定したもので、「米国雇用全体の約47％がコンピュータ化のリスクにさらされている」というショッキングな結論が大きな議論を巻き起こしたのです。

フレイとオズボーンが野村総合研究所と2015年度に実施した共同

職業名		自動化が可能になる確率
電車運転士	Train Drivers	99.8%
経理事務員	Accounting Clerks	99.8%
検針員	Meter Reading Workers	99.7%
一般事務員	General Administrative Clerks	99.7%
包装作業員	Packaging Workers	99.7%
路線バス運転者	Route Bus Drivers	99.7%
積卸作業員	Loading and Unloading Workers	99.7%
こん包工	Balers	99.7%
レジ係	Cashiers	99.7%
製本作業員	Binding Workers	99.7%

表１：自動化可能性が最も高い職業

職業名		自動化が可能になる確率
精神科医	Psychiatrists	0.1%
国際協力専門家	International Cooperation Experts	0.1%
作業療法士	Occupational Therapists	0.1%
言語聴覚士	Speech Therapists	0.1%
産業カウンセラー	Industrial Counselors	0.2%
外科医	Surgeons	0.2%
はり師・きゅう師	Acupuncturists and Moxibutionists	0.2%
盲・ろう・養護学校教員	Special Education Teachers	0.2%
メイクアップアーティスト	Make-up Artists	0.2%
小児科医	Pediatricians	0.2%

表２：自動化可能性が最も低い職業

（出典：レポート「日本におけるコンピューター化と仕事の未来」より）

研究結果のレポート「日本におけるコンピューター化と仕事の未来」によると、「日本における被雇用者全体の49パーセントが高い自動化リスクにさらされている」一方、「日本では、自動化のリスクが低い仕事の割合も同様に大きい。日本の労働者のおよそ40パーセントは、我々の分析で自動化が不可能と見なされている職業に就いている」とされています。

すでにこれまで、コンピュータは、簿記や電話オペレータなどの多くの仕事を代替してきました。コンピュータが得意とするのは、明確な定義に基づくルーチン作業ですが、今では、記事を執筆したり、絵を描いたり、作曲をしたり、これまでは人間にしかできないとされていた創造的な知性作業も行えるようになっています。創造性も人間でなくコンピュータが担うようになるのでしょうか?

創造性のプロセスの一つは、既知のアイディアをこれまでにないやり方で組み合わせることです。このやり方で目新しいことを生み出すことは、コンピュータにとって特に難しいことではありません。しかし、創造性には私たち人間の価値観が入っています。これまでになかった組み合わせをすれば、そのすべてが「創造物」としての価値を持っている、というわけではないのです。
　時間や文化とともに変化していく人間の創造的価値を特定し、コード化できるのか？　仮にコード化できたとして、コンピュータがそれに従って何らかの成果物を生み出せるのか？　仮に何かを生み出したときに、それをもって「コンピュータは創造的である」と言えるのか？　などさまざまな議論が行われていますが、オズボーンらは「高度な創造的知性を要する職業は、今後数十年において自動化されそうにもない」と結論づけています。
　もう1つ、人間にしかできないと言われているのが、社会的知性を用いる業務です。オズボーンらは、「社会的知性」とは、
「社会的な洞察」（他者の反応に気づき、なぜその人がそのように反応したかを理解できる）
「交渉」（複数の他者を1つにまとめ、違いに折り合いをつける）
「説得」（他者に考えや行動を変えるよう、説得する）
「他者への支援とケア」（同僚や顧客、患者といった他者に対し、個人的な支援や医学的

な配慮、心の支えなど、個人に向けたケアを提供する）

から成っていると考えています。

このような社会的知性は、交渉、説得、ケアなどに関わりのあるさまざまな業務で重要な役割を果たしています。そのような業務のコンピュータ化に向けての研究も行われていますが、コンピュータにとって、自然な人間の感情をリアルタイムで認識し、知的に返答するのはまだまだ難しいというのが現在の結論です。

オズボーンらは、700を超える職業を分析した結果、「アート（絵画、彫刻、イラストレーションなど）」、「独創性」、「交渉」、「説得」、「社会的洞察」、「他者への支援とケア」などが求められる職業は、最もコンピュータ化の可能性が低いとの結論を得ました。コンピュータ化の可能性の低いトップ25の職業名を見ると、セラピスト、ソーシャルワーカー、カウンセラー、作業療法士、教員、教育関係者などが並んでいます。先に示した日本での研究も同様の結果です。

オズボーンらは、「技術が進むにつれ、低スキルの労働者は、創造的、社会的知性を要する仕事など、コンピュータ化されにくい業務に配置換えされることになるだろう。この競争に勝つには、労働者は創造的スキルや社会的スキルを習得しなければならないだろう」と結んでいます。

注目していただきたいのは、「社会的知性」のスキルが最もコンピュータ化の可能性が低いということ、社会的知性のスキルとして挙げられているものはすべて、「待つ」、「観察する」、「耳を傾ける」、「辛抱する」といった、ネガティブ・ケイパビリティを必要としている、ということです。ネガティブ・ケイパビリティを高めることで、コンピュータ化やAＩに負けることのない仕事で活躍しつづけることが可能になるのです。

ポジティブ・ケイパビリティとネガティブ・ケイパビリティは車の両輪

ネガティブ・ケイパビリティは、創造的な思考や新たな学習のためにも必須の能力と考えられます。

洞察やより深い理解はどこに生まれるのでしょうか？

それは、「ここまでは知っている・わかっている」というぎりぎりのところ、つまり、「知っていることと、知らないことの端（エッジ）」です。「確かなことと、不確かなことの端（エッジ）」なのです。

自分がいろいろなことを知っていて確かなことが多いのが、**「わかっている」領域**です。ですがそこから一歩も出ずに、その中だけで考えても新しい発想は生まれてきません。未知で何も確かなことがない**「わからない」領域**にもしっかりと向き合うことが大事です。そうした「わかっていること」の領域と「わかっていないこと」の領域の狭間（エッジ）で、そのせめぎ合うところを辛抱強く吟味していく中でこそ、新しい可能性の道が見つかり、新たな学びが得られるのです。

リーダーシップとネガティブ・ケイパビリティについての研究者であるロバート・フレンチらは、「知ることと知らないことの狭間（エッジ）にこそ、創造的思考のための「作業スペース」や「能力」が生まれ、維持される」と述べています。「自分の知識のエッジに立ち、自分の『知らないこと』と向き合うことで、リーダーは常に新しい何かを学べる可能性がある」、と。

そしてさらに、「新たに得られた洞察は、ポジティブ・ケイパビリティによって具体化される。ポジティブ・ケイパビリティとネガティブ・ケイパビリティは、相互に排他的ではなく、依存し合う補完的な２つの極である」と述べています。

よくわからない状況の中で発見した手がかりに、適切なタイミングでよく知っている方法を加えてみて、両者を上手に組み合わせること。それが新しい解決の手法を具体的に確立することに繋がるというのです。

「ポジティブ・ケイパビリティか、ネガティブ・ケイパビリティか」ではなく、「ポジティブ・ケイパビリティも、ネガティブ・ケイパビリティも」なのです！

フレンチらは、ビジュアルアートの世界の「ネガティブ・スペース」という考え方を用いて、ポジティブ・ケイパビリティとネガティブ・ケイパビリティが、相互に排他的ではなく、依存し合っていることを示します。

私たちは、ある物や風景を見るとき、それが花瓶であれ、木であれ、椅子であれ、その特徴に注目し、観察しようとしがちですが、フレンチらは、どんなものも、つまり「正（ポジティブ）のかたち」も、その周りや中に「負（ネガティブ）の空間（スペース）」を持っていると説明します。

例えば、この図では、ポジの「対象物」に注目すると、花瓶のシルエットが見えます。しかし、ネガである「周囲のスペース」に注目すると、見つめ合う2つの横顔に変わるでしょう。この場合、目がどちらのイメージを選ぶかによって、実際のところ、ネガにもポジにもなり得るのです。そして、ポジとネガの両方があるからこそ、見えるのです。片方だけでは、どちらのイ

メージも存在し得ません。

同様に、リーダーシップの「知っていない」、「行動しない」といったネガティブ・ケイパビリティと「知っている」、「行動する」というポジティブ・ケイパビリティは相互につながって、統合された全体を形成しているのだ、と説明します。豊かなネガティブ・ケイパビリティがあるからこそ、有用なポジティブ・ケイパビリティが発揮され、その両方があいまって、効果的な解決策や行動が生まれるのです。

ネガティブ・ケイパビリティの生みの親・詩人キーツ

ネガティブ・ケイパビリティのメカニズムなどについて詳しく説明するまえに、その生みの親と育ての親を紹介しましょう。

「ネガティブ・ケイパビリティ」という言葉を創り出したのは、イギリスのロマン主義の詩人ジョン・キーツでした。キーツは、１７９５年にロンドンで、両親と、３

人の弟、1人の妹という家族の長男として生まれます。末弟のエドワードは、キーツが6才の時、わずか1才で亡くなります。キーツが8才のときに、父親が乗馬事故で亡くなり、母親はキーツが14才のときに結核で亡くなります。

キーツは10代で医学を学び始め、最初は地元の外科医の見習いとして、のちにガイズ病院で医学生となって手術の手伝いなどをしたのですが、学業を終えた後、詩の道に進むことを決意します。

詩人としての活動期間は短く、4〜5年ほどでした。弟のトムが結核で19才で亡くなったのち、キーツ自身も結核を患います。温暖な気候を求めてローマに移り住みますが、1821年に25才の若さで亡くなります。

このように悲しみや苦しみの多い、短い人生を送ったキーツでしたが、「シェイクスピアに比肩する」といわれる偉才で、数多くのすばらしい詩を作りました。もっとも、今では高く評価されていますが、生前はそれほど広く賞賛されることはなかったそうです。

キーツは詩のほか多くの書簡を残しており、『詩人の手紙』、『キーツの手紙』などとして出版されています。その中に、1817年12月21日付の書簡があります。2才年下のジョージと4才年下のトムの弟2人に宛てた手紙で、キーツが22才のときのものです。

（太字は原文ではなく著者による）

ディルク（注：キーツの親友）とさまざまな問題について論争ではなく考え合いをした。いくつかのことがぼくの心の中でぴったりと適合しあい、すぐに次のことが思い浮かんだ。それは特に文学において、**偉大な仕事を達成する人間を形容している特質、シェイクスピアがあれほど厖大に所有していた特質、**それが何であるかということだ――ぼくは、**「ネガティブ・ケイパビリティ」**のことを言っているのだが、つまり**人が不確実さとか不可解さとか疑惑の中にあっても、事実や理由を求めていらいらすることが少しもなくていられる状態のこと**だ。

（田村英之助 訳）

これが、「ネガティブ・ケイパビリティ」という言葉・概念がこの世の中に最初に生み出された瞬間でした。「事実や理由をせっかちに求めず、不確実さや不思議さ、懐疑のなかにいられる能力」——キーツは、「偉大な仕事を達成する人間」の持っている特質として、ネガティブ・ケイパビリティをこのように説明したのです。

キーツのお手本はシェイクスピアでした。シェイクスピアやミルトンなど、イギリスの偉大な詩人たちを熱心に研究したことが、彼の創作過程の重要な要素だったといわれています。キーツは、シェイクスピアの作品を読み込む中で、シェイクスピアの共感的想像力を支え、彼を「偉大な仕事を達成する人物」にしているのは、ネガティブ・ケイパビリティだ、と気づいたのです。

「シェイクスピアは、特定の真理観に固執することなく、さまざまな視点を有し、世界に対して開放性、受容性、柔軟性を保ち、中途半端な知識で良しとし、自己を空しくして対象の中へ没入し、そこから偉大な創造を得ている」とキーツは考えました。自己を主張するのではなく、自己を虚しくすることで、劇中の人物に同化し、共感的想像力を働かせて、それぞれ異なるリアルな人間の姿を徹底的に描き出している、としたのです。

キーツは、シェイクスピアを自分と同世代の詩人・コルリッジと比較し、シェイクスピアはそのような能力（＝ネガティブ・ケイパビリティ）を飛び抜けて持っていたのに対し、「コルリッジは中途半端なままでいることはできず、本物〝らしい〟ものでそれらを手放してしまう」と述べています。コルリッジはポジティブ・ケイパビリティが強いタイプだったのかもしれません。

キーツとネガティブ・ケイパビリティに関して、２０２１年３月21日付のニューヨークタイムズ紙のインタビューで、アカデミー賞に２回ノミネートされ、エミー賞を受賞しているアメリカ人映画監督のケン・バーンズ氏が、「単純化された設定をしないという学び」について述べています。

キーツがウィリアム・シェイクスピアについて書いた手紙に、シェイクスピアには、他の誰よりも持っているものがある、それはネガティブ・ケイパビリティである、と書いていたという。私たちの内にある道徳観は、「善か悪か」

と決めたがるが、シェイクスピアは複雑さを理解するために、その判断をできるだけ長く保留する能力を持っていたのだ。私は、「これがヒーローで、こちらが悪役だ」と単純化された設定を許すことなく、また、グレーの濃淡で混乱させることもないやり方を学んだと思う。

また、米国の文芸評論家・英文学者であり、ミルトン研究者のスタンリー・フィッシュ氏は、ニューヨークタイムズ紙で、ミルトンと比較してシェイクスピアのネガティブ・ケイパビリティについて述べています。

シェイクスピアは多くの〝声〟を持っているが、そのどれも「シェイクスピアの声」だというものはない（キーツが言ったように、彼のそれはネガティブ・ケイパビリティなのだ）。彼の伝記作家になろうとする人たちがよく知っているように、シェイクスピアを見つけるのは難しい。他方、ミルトンは多くの登場人物を持っているが、みな一つの〝声〟、つまり「ミルトンの声」で喋っている。

日本を代表する編集者・著述家である松岡正剛氏も、「千夜千冊」１７８７夜で、シェイクスピアがハムレットの疑惑、オセロの嫉妬、マクベスの野心、リア王の忘恩をそれぞれ尋常ならざる深みをもって描けたのは、ネガティブ・ケイパビリティを発揮してこそだった、と述べています。

先ほどの「シェイクスピアは多くの〝声〟を持っているが、そのどれも「シェイクスピアの声」だというものはない」というポイントとも重なりますが、キーツは「詩人はあらゆる存在の中で、最も非詩的である」と主張していました。『詩人の手紙』より、１８１８年10月17日付のリチャード・ウッドハウス宛の手紙の一部を紹介しましょう。

詩人というものはこの世に存在するものの中で最も非詩的なものだ、というのは詩人は個体性をもたないからだ――詩人は絶えず他の存在の中に入って、それを満たしているのだ——太陽、月、海、それに衝動の動物である男や女は詩的であり、普遍の特質を身につけている——詩人にはそれが何もない、個体性がないのだ——詩人は明らかに神のあらゆる創造物の中で最も非詩的なものなのだ。

「詩人が最も非詩的であり、それは詩人は個体性を持たないからだ」という主張は、奇妙に聞こえるかも知れません。創造性を発揮して独自の世界を創作する詩人は非常に個性的だ、というのが一般的な受けとめ方ではないかと思うのですが、キーツは「詩人は個体性を持たない」と言うのです。

詩人だけではありません。俳優の山崎努氏は2022年8月26日付の日本経済新聞の「私の履歴書」で、日本を代表する映画監督・伊丹十三氏が「スクリーンの中で役の人物として生きるためには俳優としては死なきゃならん」という持論を持っていたこと、自分も「俳優も演出、戯曲も消えなければいけない」という考えを持っていると述べています。

共通しているポイントの1つは、自分を虚しくして無にしてこそ、いろいろなもの（他の存在、役の人物など）が入る余地ができるということです。だから、詩人は「自分は」という個体性を持たず、俳優も消えなくてはならないのです。次に紹介するビオンという精神分析医の主張を読んでいただくと、ここでのポイントとも重なっていることがわかるでしょう。

英国のロマン派詩人ジョン・キーツが生み出した「ネガティブ・ケイパビリティ」という言葉・概念は、オックスフォード英語辞典にも収録されているほど、ある意味確立されたものとなっています。ちなみに、同辞典では、「合理化しようとするよりむしろ、不思議さや不確かさを受け入れる能力（を指すキーツの言葉）で、創造的な芸術家の資質であると見なされる」と説明されています。

ところで、キーツが「ネガティブ・ケイパビリティ」について言及したのは、ここで紹介した弟たちに宛てた手紙の中での1回だけでした。そして、当時も、その後も、この大事な概念について取り上げられることは、ほとんどありませんでした。

「ネガティブ・ケイパビリティ」の再発見：ウィルフレッド・ビオン

「ネガティブ・ケイパビリティ」の〝第二幕〟が開いたのは、キーツがこの言葉を作ってから170年ほど後のことでした。英国の精神分析医ウィルフレッド・R・ビオンが、1970年に刊行された『注意と解釈』の第13章冒頭で、キーツが弟たちに宛てて書いた手紙からネガティブ・ケイパビリティについて述べている箇所を引用し、その重要性に多くの人々の注意を喚起したのです。

キーツは詩人や作家が有すべき能力としてネガティブ・ケイパビリティを位置づけましたが、ビオンは、精神分析医も、患者との間で起こる現象や言葉に対して、同じ能力、つまり「事実や理由をせっかちに求めずに、不可思議さ、神秘、疑念をそのまま持ち続けること」が必要だと考えたのでした。

ビオンは、精神分析医が、患者からのプレッシャーもあり、問題に対してすぐに結論を出そうとしがちであることを懸念していました。しかも、精神分析学にはこれまでに積み重ねられてきた膨大な知見と理論の蓄積があります。分析医（特に経験の少ない若手など）は、目の前の患者のありのままの姿や状態を見ようとするのではなく、頭の中にある精神分析学の知識や理論をあてはめて理解しようとしてしまいます。その結果、いちばん大事な、目の前の患者と医師である自分の間のやりとりに集中できなくなってしまうのです。

私自身も、精神分析ではありませんが、大学院時代にカウンセラーになるためのトレーニングを受けていたことがあるので、その〝感じ〟はよくわかります。特に自信のない初心者のころは、目の前の来談者の一部の言葉や動きを見て、「こういう神経症なんじゃないかな」、「こう言われたときは、どう対応したらよいのだっけ……？」と頭の中でぐるぐる考えてしまい、じっしりと丸ごと相手を受け容れて聴く、ただひたすら一緒にいる、ということがなかなかできなかったことを覚えています。

ビオンは、理論や知識、患者からの期待やプレッシャーに飲み込まれることなく、目の前の患者に対して「１００％今ここにいる」ことができるためには、ネガティブ・ケイパビリティが必要だ、と考えました。

また、理論は防衛のために使われる可能性があることを認識していたビオンは、同僚や若手に対して、「症状の判断を急がないように」と助言するとともに、「過去のセッションを思い出さないように」と何度も言っています。

「過去のセッションを思い出さないように」というのも、ちょっと不思議なアドバイスかもしれません。なぜなら、自分のカウンセリング体験から言っても、これまでのセッションでわかってきたこと、これまでのセッションを通じての変化などが、来談者を理解するためには重要な情報になるからです。

しかし、その手がかりである「過去のセッション」が、「今の目の前の相手」を理解する上での「先入観」を作りだしてしまう恐れがある、ということなのです。過去のセッションを通じてわかってきたことがあったとしても、それに「今この瞬間に、まっさらな気持ちと頭で相手を受け容れる」ことを邪魔させてはいけない、ということです。

ビオンは、「〝新たな考えのためのスペースを残す〟ために、自分が知っていること、欲していることを忘れ、新しいパターンが展開するのを辛抱強く待て」と言っています。また、「分析作業において、新しい洞察が得られるかどうかは、〝無知によって生じた空白を知ることで埋めようとする傾向に抵抗する〟ことができるかどうかにかかっている」とも述べています。

これをひと言で伝えるビオンの言葉があります。「ネガティブ・ケイパビリティが見出されるのは、記憶もなく、理解もなく、欲望もない状態のみである」。

過去のセッションでどうだったか（記憶）、理論や知識に当てはめるとどうか（理解）、この患者をどうしてあげたいか、自分はどうしたいか（欲望）がない状態こそ、ネガティブ・ケイパビリティが発揮されている状態である。それができてこそ、患者をより深く理解・共感することができる。それこそが精神療法の重要なプロセスなのだ、ということなのでしょう。

ビオンはまた、「精神分析的トレーニングの重要性は、理論的知識の習得そのものにあるのではなく、はるかに困難だが、『記憶、欲求、理解なしに』現在の瞬間に働きかける能力の習得にある」とも言っています。理論的知識や対応スキルといったポジティブ・ケイパビリティよりも、「記憶、欲求、理解なしに」現在の瞬間に働きかけるネガティブ・ケイパビリティのほうが、修得も実践もはるかに困難だが、そのほうが重要なのだ、と言うのです。

ビオンだけではありません。家族療法の第一人者であるハーレーン・アンダーソン氏も著書『会話・言語・そして可能性』のなかで、「無知」(Not-knowing)の姿勢が最も重要だ、と述べています。その理由は、「知るということは、見える可能性の範囲を狭め、予期せぬこと、言葉にされなかったこと、これから言葉にされることには、耳を貸さないという傾向を強める。無知の姿勢は見えてこないものを可能にする」からだ、と。

そして、「無知の姿勢が要請すること」という小見出しのついた節で、「ここでセラピストはある種の専門性を求められることになるが、それはこれまでの経験、事実、知識をベースにして理解、説明、解釈を作り上げないという専門性である」と述べます。理解、説明、解釈を作り上げることこそセラピストの専門性だと考えがちですが、まったく逆の能力こそが専門性なのだと言うのです。

日本の精神分析家の意見も聞いてみましょう。日本人の精神構造を解き明かした著書『「甘え」の構造』でも知られる精神科医・土居健郎氏の『新訂　方法としての面接　臨床家のために』から、『「わかる」ということ』という章に述べられていることを箇条書きで示します。

- 精神科的面接において面接者が最も心がけることが相手を理解しようとすることである、よく「理解する」あるいは「わかる」ということは一体どういうことなのか。
- ふつう「わかる」といえば馴染みがあるということであり、これに反して「わからない」といえば馴染みがない、縁遠い、ということであるが、面接によって相手を理解しようというからには、もっと深い意味で「わかる」ことでなければならない。
- では一体どうすればもっと深い意味で理解することになるのか。それにはまず第一に何でも彼でもわかったつもりになるのをやめることから始めねばなるまい。

簡単にわかってしまってはいけないのである。

●いいかえれば何がわかり、何がわからないかの区別がわからねばならない。本当にわかるためには、まず何がわからないかが見えて来なければならない、といってもよいであろう。

●要するに精神科的面接の勘所は、どうやってこの「わからない」という感覚を獲得できるかということにかかっているが、このことはいくら強調しても強調しすぎることはあるまい。実際、わからないというのも一種の認識である。

●というのは、精神科的面接の目的は相手を理解することだということで、何でも彼でもすぐにわかったつもりになる面接者があまりにも多いからである

「わかったつもりになるのをやめる」、「簡単にわかってしまってはいけない」——わからない状態をキープしつづけることが肝要だと強調します。そして、同書の「『わからない』について」という註に、「判断を積極的に停止すること」、「わからないという感覚の涵養」の大事さについて述べています。

- 要は「どうも変だ、わからない」という感覚を持つことである。
- なおこのように自然に起きる「わからない」感覚だけでなく、面接においてはさらに判断を積極的に停止することにより、「わからない」感覚を涵養することも必要であるように思われる。
- であるからフロイドは、患者の話を聞く際に、先入主を抱くな、結論を早く出すな、話の自然な流れに沿って、新しい話題が出る毎に驚きを感じる程でなければならない、とのべたのである。

土居氏は同書で、「またWilfred Bionという非常に独創的な分析医は、結局Freudのいう所と同じことではあるが、治療者は自分の記憶と欲望に支配されてはならない、常に患者に初めて会うごとき心がけが肝要であると説いている。すなわち、これまでどうであったかとか、今後どうなるかではなく、今この場で患者と自分の間で何が起きているかに注意することである。そうするとそこには必ず新しいことが出て来ていることに気づくというのである」と、ビオンの考えを紹介しています。
さらに、キーツのいうネガティブ・ケイパビリティが精神科的面接を行う面接者にとっても必要だ、と述べています。

このように進んで「わからない」感覚を保持することは決して楽なことではない。この点で詩人John Keatsの考えが大変面白い。それは彼がnegative capabilityと呼んでいるものであって、「不確かさ、不思議さ、疑いの中にあって、早く事実や理由を摑もうとせず、そこに居続けられる能力」のことである。Keatsはこれが詩人にとって必要不可欠な能力であると説いたのであるが、しかし詩人にとってと同じくらい面接者にとってもこの能力が必要であろう。

日本を代表する臨床心理学者であった河合隼雄氏は、迷いを持ちこたえる力のことを「葛藤保持力」と呼んでいました（ネガティブ・ケイパビリティの日本語訳の1つとしてわかりやすいですね！）。そして、悩みや迷いがあるのが問題なのではなくて、問題があるのにちゃんと悩んだり迷ったりしないことが問題なのだ、と。みんな苦しくて嫌だから、あれかこれかと葛藤することをせずに、すぐどちらかにしてしまいますが、「いろいろな葛藤を持ちながら、ぐっと耐えてそれを持ち続ける。それが「おとな」なのだというのがぼくの定義なんです」と言います。

ここまでのまとめと整理

ここまで、ネガティブ・ケイパビリティとは何か、生みの親であるキーツや、再発見して世に広めたビオンなどの考え方を紹介してきました。ネガティブ・ケイパビリティが詩人や作家など創造的芸術家や、精神分析医にとって大事な資質として位置づけられてきたことがわかります。このあとの章に出てくるように、今では、教育やリーダーシップ、カウンセリング、ソーシャルワークなど、さまざまな分野でも大事な資質として注目を集めるようになっています。

さきほども述べたように、ネガティブ・ケイパビリティのさまざまな側面が、分野や時代の変遷とともに脚光を浴び、活用されていることからも、ネガティブ・ケイパビリティには「単一の包括的な定義」は存在していません。また、そもそも「決めつけない」「わかり切らない」ためのネガティブ・ケイパビリティですから、「これがそれだ！」というような、単一の包括的な概念にはなりえないのでしょう（キーッも望んでいないだろうと思います！）

そこで、さまざまな文献や資料からの知見をもとに、ネガティブ・ケイパビリティをはぐくみ、発揮するための心構え、向き合い方、その成果について、私なりに整理してみました。

〈心構え〉

- 世の中には自分のコントロールの及ばないものがある
- 世の中にはわからないこと、不確かなこと、一貫性や整合性のないものもある
- 迷ってもよい

- その先には発展的な理解が待っている
- しっかりした自己を持っているからこそ、謙虚でいられるし、不確かさに耐えられる

〈向き合い方〉

- 曖昧さに苛立たない
- 早急な結論・判断や見解に飛びつかない
- 自己や思考を閉じずに、拡げ、理解しようとする
- 相反する現実を同時に受けとめる
- 不確かさ、決められないこと、わからないことから生じるプレッシャーに屈しない

〈結果〉

- 創造的なアイデアが生まれるためのスペース

● より深い理解・共感、寛容さ
● 対象の本質に深く迫ること

第 2 章

「わからない」という不安を受け容れる

～2つのキーワードから～

ここでは、ネガティブ・ケイパビリティを心理的な機能として理解する上で大事なキーワードを2つ紹介します。「dispersal」（ディスパーサル）と「containment」（コンテインメント）です。

「散らすこと」

「dispersal」という英語は、ラテン語の「sparsus」（散らばった、まばらな）から派生した「sparse」（ばらまく、散らす）に、dis-（〜から離れて）をつけた動詞「disperse」（散り散りになる、消散する、消失する）の名詞形です。辞書を引くと、「分散、消散、散失」などと出てきて、ネガティブ・ケイパビリティの論文等でも、日本語にするときには「分散」という訳語があてられることが多いようです。

どういうことを指しているか、例を挙げて説明しましょう。

たとえば、ふっと「今のままの人生で良いのかなあ?」とモヤモヤする気持ちが出てきたとします。「自分の人生はこれでよかったのか」、「残りの人生、どのように生きていったら良いのか」というのは、後悔のない自分らしい人生を送るためには、本質的な問いで、あとでも紹介しますが、私が開催しているセミナー「自分合宿」でもよく出てくる問いです。

でも、そこでその問いに正面から向きあうと、これまでの自分（の一部）を否定しなくてはならないかもしれない。これまでどおりを続けられなくなるかもしれない。よくわからない新しい世界に入っていかなくてはならないかもしれない……。

自分のモヤモヤに向きあうということは面倒なことでもあり、恐いことでもあります。モヤモヤ自体はっきりしているわけではなく、明確な解があるわけでもありません（だからモヤモヤするのですよね！）。

そこで、多くの場合、うすうす「このままではいけない」と感じつつも、「今はそれどころじゃない。さ、仕事しなきゃ」と日常の忙しさに気を紛らわせたり、「いや、自分はこの人生で良いのだ、これまでこんなにいいことがあったじゃないか」と自分を納得させようといろいろな説明を考えたりします。時には何かの本で読んだ耳当たりのいい言葉や、誰かのもっともらしい発言に飛びつき、答えを見つけたかのような気分に逃避することもあります。モヤモヤにフタをするのです。モヤモヤがなかったことにするのです。

これがモヤモヤからのdispersalです。

そこに居続けることが辛いから、居心地が悪いから、どうしてよいかわからないから、逃げてしまう、気を散らしてしまう、気をそらしてしまうのです。「分散」という日本語だと、いくつかに散らす、というイメージもあるため、私はネガティブ・ケイパビリティに出てくるdispersalは、「**散らしてしまうこと**」と訳しています。「痛みを散らす」の「散らす」ですね。その場から「逃げる」といってもよいかもしれません。

先に例として挙げた「友だちの悩み相談」に、すぐに答えを出そうとしたり、「悩まなくていいんだよ」と説得しようとしたりするのも、相手の悩みを聞いている自分の中に生まれてくる不安や不確かさを「散らそうとする」試みだと言えるかもしれません。

ビオンは、この「散らすこと」を「見たくないもの、聞きたくないものを閉め出し、代わりに慣れ親しんだものに関わる行為」と説明しています。ネガティブ・ケイパビリティの研究者らは、たとえば、このように説明しています。

- 自分を圧倒してしまうような感情からの逃避
- 「関与」から「気を散らすもの」へのエネルギーの転換
- 感情的緊張に耐えられず、ネガティブ・ケイパビリティの発揮を止めて、行動へと急ぐ
- 防衛的なルーチンに戻ること

また、「よくある散らし方」の例としては、

- 感情的な反応
- 不十分であっても、説明しようとする

- 新しい考えや感情にフタをする
- もはや通用しないかもしれない以前の知識を呼び起こす
- 急いで行動に移す
- 複雑な問題をより一口サイズの扱いやすい塊に分解しようとし、難題が実際には簡単なものであるかのように考える
- 強迫的行動（過剰に手を洗う、戸締りなどを何度も確認せずにはいられないなど）

しかし、不確かさや「わからなさ」、不安とともにとどまることをせず、散らしてしまっては、しっかりじっくり向きあうことはできません。「散らしたい」というプレッシャーがかかったときこそ、ネガティブ・ケイパビリティが最も必要とされるのです。うまく世間体を保ちながら逃げを打ちたくなる自分がいても、そこで踏みとどまる力です。

不安やプレッシャーを無視したり無理やり打ち消したりすることもなく、防衛的な「散らす行動」をとらずにすむようにするには、どうしたらよいのでしょうか？

受け容れる「器」

そこで必要になってくるのが、もう1つのキーワード、「containment」です。「containment」は、動詞「contain」の名詞形です。「コンテナ」(container)という言葉はよくご存じでしょう? 容器、入れ物、箱のことですね。containerの最後の「er」は「人、もの」を意味し、最初の「con」は「ともに」、間の「tain」は「つかむ・保つ」という意味です。つまり、「contain」とは「何かをとどめる、保つ」ことで、「container」は「何かをとどめるもの、保つもの」、「containment」とは「とどめること、保つこと」を意味します。

自分の今後の人生を考えることであれ、友人の悩みであれ、不確かさや不安が出てきたときに、それにフタをして「散らしてしまう」のではなく、その不確かさや「わからなさ」、不安や居心地の悪さを、**「何かの器に容れておくように、そのまま保つ」**

ことができれば、そのままそこに居続けることができます(図参照)。

日本語はすばらしいなあ! と思うのですが、「うけいれる」には2種類の漢字を使い分けることができます。「受け入れる」と「受け容れる」です。たとえば、「相手の意見を受け入れる」と「相手の意見を受け容れる」は、どう違うのでしょうか?

「受け入れる」は、自分の中に入れるイメージです。「相手の意見を受け入れる」としたら、(納得したかは別として)「同意する」

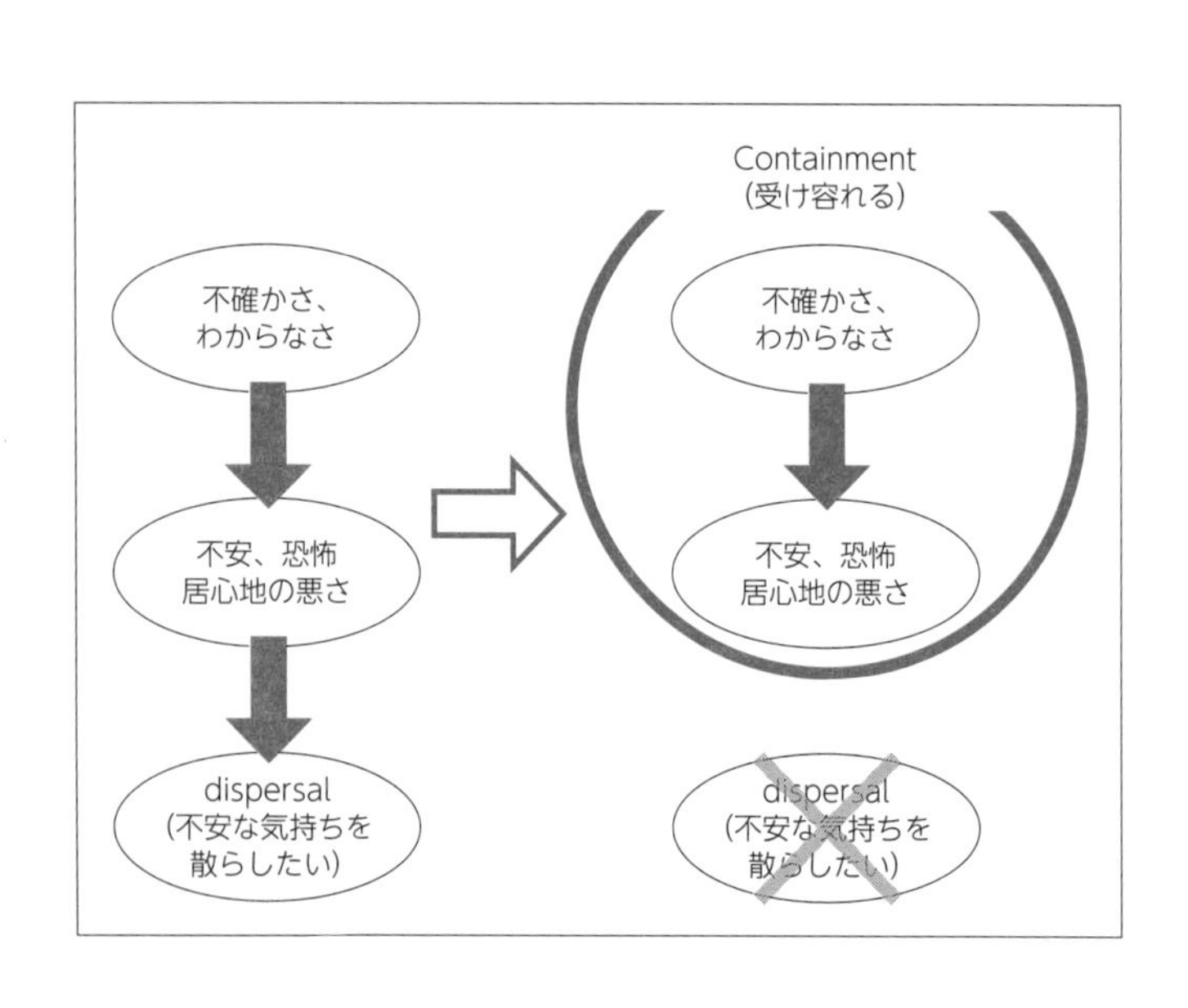

という意味になります。

他方、「容れる」は、「器などに入れる、盛る」ということなので、「受け容れる」は、器に入れるように受けとめる、というイメージです。容器に入れても、中身は容器と一体化することはありません。容器は、中に入っているものを変えませんし、働きかけることもしません。ただ、そのまま中身を保っているだけです。中身がこぼれないよう、傷つかないよう、保っているのです。これが「**受け容れる**」のイメージです。

そのイメージで「相手の意見を受け容れる」としたら、自分の考えは別として、「なるほど、あなたはそういう考えをお持ちなのですね」と耳を傾ける、ということになります。相手の意見を容器に容れて、それをしげしげと眺めながら、「なるほど、そう考えているのですね」と聴くイメージです。

ここで大事な注意点なのですが、**自分は同じ意見でなくても良いし、同じ意見にする必要もありません。**しっかり最後まで耳を傾けることと、同意することは別物なのです。「受け容れても受け入れない」こともあるということですね！

「受け入れる」と「受け容れる」の違い、わかりましたか？　ここでのcontainmentは、「受け入れる」ではなく、「受け容れる」ことです。

これは自分自身の感情についても同様です。不安だろうとモヤモヤだろうと、それを消そうとしたり、説得しようとしたりしなくてもよい。自分の感情を一度客観的に整理して、ただ、「ああ、自分は不安なんだなあ」「モヤモヤしているんだなあ」と受けとめればよい、ということです。

不安や居心地の悪さから、つい「逃げだそう、散らそう」(dispersal) とする衝動が生まれるのは、実は自然なことです。衝動に任せて、そのまま、別のことや手近な答えに逃げてしまうこともしばしば起こってしまうでしょう。そこを堪え、この衝動を否定するのではなく、不安などをそのまま器に容れるようにして、不安や居心地の悪さを認めて同居する、一緒に居続ける (containment)。それができれば、一緒に居続けている間、ネガティブ・ケイパビリティが発揮されていることになります。

ネガティブ・ケイパビリティが大事だから発揮しましょう！　と主張しても、なぜネガティブ・ケイパビリティが発揮しづらいのか、その発揮を阻むものは何なのか、そのメカニズムを理解したうえで対策を打たないと、なかなか思うとおりにはなりません。

大事なポイントは、自分の不安や、不安を作りだしているわからなさを、器に容れるように、「ああ、ここではわかっているけど、この先はわかっていないのだなあ」、「わかっていない自分を不安に、脆弱に感じているのだなあ」と受け容れ、早急な判断や結論に飛びつかないよう、自分の衝動を押しとどめ、不確実さのなかにとどまろうとすることです。

「散らしてしまいたい」という衝動と、それに駆られて動いてしまいそうになる自分を抑える「器」の２つが、ネガティブ・ケイパビリティ発揮のメカニズムのキーワードなのです。

第 3 章

判断を性急に下さない

〜ホールドとサスペンド〜

ネガティブ・ケイパビリティは、これまで述べてきたように、真実に近づくためにも、人をよりよく理解・受容するためにも、創造性を発揮するためにも重要な心のありようです。そのため、「ネガティブ・ケイパビリティ」とは呼ばなくても、ほかの言葉でも、そのような心のありようが説かれてきました。ネガティブ・ケイパビリティにも重なる大事な考え方のいくつかを知っていただくことで、ネガティブ・ケイパビリティについてより理解し、実践につなげることができると思います。

「ホールディング」「場をホールドする」

ドナルド・ウィニコットという精神分析家は、主に早期の母子関係及び治療関係について多くの論考や実践を行った人ですが、「**ホールディング**」というキーワードを提唱しました。

「holding」とは、hold（抱える）すること。文字どおり、「身体で抱っこすること」

を指す場合もあり、精神分析においては「解釈を差し控えること」を指すこともあります。「沈黙の期間が患者のなしうるもっとも有効な作業となり、分析医は自然、待ちの分析に腰を据えることになる」という状態です。ネガティブ・ケイパビリティを発揮して、解釈は差し控え、腰を据えて、その場に患者と共に居続けながら、事態が進むのを見守るということです。

もっとずっと日常的な場面ですが、私もよく「**場をホールドする**」という言い方をします。ファシリテーションやカウンセリングに近いことをしているときです。「hold」という単語にある「抱く」「抱える」というイメージで、私はよく腕を伸ばして、目の前の空気の塊を抱くような動きを示します。「自分合宿」やワークショップのファシリテーターを務めているとき、その場にいる参加者が安心して、いろいろなことを考えたり、模索したり、やりとりしたりできるよう、自分はその場の「器になる」ようなイメージです。

自分の思いや考えの方向にみんなを引っ張っていったり、自分とは違う意見ややっかいな声を押しつぶそうとしていると、参加者は本当に必要な自由で多様な意見や感情を表出することができなくなってしまいます。

だからこそ、たとえその「場」で起こったことや発言の中身がどんなものであろうと、「ホールドする」のです。ホールドしながら、じっと待ちます。そこで大事なのはおそらく、ファシリテーターが何を「行う」か、何を「言う」か、という行動レベルではなく、**どのような「あり方」でいるのか**、です。場をホールドしている存在のあり方が参加者にとっての心理的安全をつくり出すのでしょう。

カウンセリングの実地トレーニングを受けていたときに、「カウンセリングルームも〝器〟だ。1セッションの時間が決まっていることも〝器〟だ。こういう器に守られて、私も〝器〟になれるかどうかだ」と思っていました。

カウンセリングに来られるクライアントは、様々な問題や悩みを抱えています。カウンセリングのセッションでは、来談者が泣いたり怒りをぶつけてくることもあります。遊戯療法のセッション中に、来談者である子どもが次々とおもちゃの人形を〝殺していく〟というような、暴力性を示す行動をとることもありました。一見突飛な行動に思えますが、これらはみな、来談者が抱える問題と向き合い、苦しみ、あがいていることの発露です。自分の力で問題を乗り越えるために必要な過程なのです。

そんなときにカウンセラーが一緒に混乱してしまっては、来談者は安心していろいろな感情を出したりすることができなくなります。問題の克服に必要な過程を阻害してしまうことにもなってしまう。カウンセラーがやってはいけないことの一つです。なだめたり説得したりするのではなく、無理したり否定したりするのでもなく、ただひたすら一緒にいて、来談者とその場を「ホールド」しつづけるのです。ネガティブ・ケイパビリティが大いに必要とされる場面です。

そして、そのような集中力を要する関わりができるのも、カウンセリングルームという場所が器のように、中にいる私や来談者をホールドしてくれていること、そして、セッションは決められた時間という器のなかで行われること（いつまでも続くわけではない）に支えられてこそ、と思っていました。目に見えても見えなくても、「器」というのはこれほどまでにその場を守ってくれているのです。

サスペンド（保留する）

もう1つ、「学習する組織」という概念から、似たような考え方を紹介しましょう。「学習する組織」とは、目的に向けて効果的に行動するために、集団としての「意識」と「能力」を継続的に高め、伸ばし続ける組織のこと。「チームの中核的な学習能力の3本柱」として、「志の育成」（自己マスタリー、共有ビジョン）、「複雑性の理解」（システム思考）、そして「共創的なダイアログ〈対話〉の展開」（メンタルモデル、チーム学習）を挙げています。ちなみに、（ ）内が「学習する組織」を創るための5つの能力・指針です。

この中でも、「共創的なダイアログ〈対話〉」のために重要なのが、各自が意識・無意識に持っている前提を保留して、本当の意味で「共に考える」能力です。「学習する組織」の世界的権威であるピーター・センゲは、次のように説明しています。

- ダイアログでは、複雑で微妙な問題を自由かつ創造的に探求し、互いの話にじっくり「耳を傾け」、自分の考えを保留する
- ダイアログでは、複雑で難しい問題をさまざまな観点から集団で探求する
- 個人は自分の前提（推測による思い込み）を保留するが、その前提を自由に話し合う

この「ダイアログ」という概念自体を最初に提案したデヴィッド・ボームが、「ダイアログに必要な3つの基本条件」のトップに、「全参加者が自分の前提を『保留し（吊り下げ）』なければならない。つまり自分の前提を文字どおり『みんなの前に吊り下げるように』しておくこと」を挙げています。センゲは、その大事な目的は、自分の前提を自覚し、検証すること、と説明します。

ある人の前提を「保留する」とは、「いわば、『自分の前に吊るし』、いつでも質問したり、観察したりできるように」しておくことだ。これは、前提を捨

てたり、抑圧したり、表現するのを避けたりするという意味ではない。意見をもつことが「悪い」とか、主観論は排除すべきと言っているのでもない。自分の前提を自覚し、検証するために掲げるという意味なのだ。これは自分の意見を弁護していたらできないことである。また自分の前提に気づかないうちは、あるいは自分の考えが議論の余地のない事実ではなく、前提にもとづいていることに気づかないうちは、やはりできるものではない。

ここでのキーワードである「保留する」は、英語では「suspend」（サスペンド）。「つるす、下げる、浮かせる」「一時的に止める、一時停止する、一時中断する、途中停止する、延期する、保留する、〔出版物などを〕差し止める」という意味です。

ここでは、「理解、判断、結論を吊り下げておく」ということですね。「理解した」と思って理解しようとする努力を終えたり、判断や結論を下すのではなく、自分や相手の前提や、理解しかけていることなどを、器に容れたり、ぶら下げたりして、しげしげと眺めてみる、というイメージでしょうか。

ちなみに、suspendの名詞形には2種類あって、1つは、suspension（サスペンション）で、つるす［ぶら下げる］こと、〔一時的な〕停止、延期、〔罰としての〕停職〔処分〕、停学、出場停止、〔執行や判決などの〕保留、差し止め、〔機器を〕つり下げる機器・装置などの意味があります。自動車のサスペンション、という言葉はご存じでしょう。

もう1つの名詞形は、suspense（サスペンス）です。気掛かり、不安（な気持ち）、未定の（あやふやな・どっちつかずの）状態という意味で、吊り下げられて不安であやふやな感じ、といえばよいでしょうか。サスペンス小説、サスペンス映画の「サスペンス」でもあります。

サスペンス小説や映画では、多くの場合、最後になるまで犯人や真相がわかりません。その不安で宙ぶらりんな状態を読者は楽しんで読み進めていくのですよね。その不安や宙ぶらりんな状態に耐えきれない人は、途中を全部飛ばして、最後を読みに行くかもしれません。こういう人は、そもそもサスペンスというジャンルには魅力を感じないでしょう。つまり、サスペンス小説が読めるなら、あなたにもネガティブ・ケイパビリティがある！　ということです！

小説家も創造活動に携わる人物ですが、日本を代表する小説家である村上春樹氏は、『職業としての小説家』の中で、「小説家になるためにどんな訓練なり習慣が必要だと思うか？」と若い人に聞かれたときの答えを開示しています。少し長いですが、「結論を留保し、先送りすること」の重要性について述べている大事なところなので紹介します。

> 小説家になろうという人にとって重要なのは、とりあえず本をたくさん読むことでしょう。（中略）その次に——おそらく実際に手を動かして文章を書くより先に——来るのは、自分が目にする事物や事象を、とにかく子細に観察する習慣をつけることじゃないでしょうか。まわりにいる人々や、周囲で起こるいろんなものごとを何はともあれ丁寧に、注意深く観察する。そしてそれについてあれこれ考えをめぐらせる。
>
> しかし「考えをめぐらせる」といっても、ものごとの是非や価値について早

急に判断を下す必要はありません。結論みたいなものはできるだけ留保し、先送りするように心がけます。

大事なのは明瞭な結論を出すことではなく、そのものごとのありようを、素材＝マテリアルとして、なるたけ現状に近い形で頭にありありと留めておくことです。

よくまわりの人々やものごとをささっとコンパクトに分析し、「あれはこうだよ」「これはああだよ」「あいつはこういうやつなんだよ」みたいに明確な結論を短時間のうちに出す人がいますが、こういう人は（僕の意見では、ということですが）あまり小説家には向いていません。どちらかといえば評論家やジャーナリストに向いています。あるいは（ある種の）学者に向いています。

小説家に向いているのは、たとえ「あれはこうだよ」みたいな結論が頭の中で出たとしても、あるいはつい出そうになっても、「いやいや、ちょっと待て。ひょっとしてそれはこっちの勝手な思い込みかもしれない」と、立ち止まって考え直すような人です。「そんなに簡単にはものごとは決められないんじゃないか。先になって新しい要素がひょこっと出てきたら、話が一八〇度ひっくり返ってしまうかもしれないぞ」とか。

まあ世の中は世の中として、とにかく小説家を志す人のやるべきは、素早く結論を取り出すことではなく、マテリアルをできるだけありのままに受け入れ、蓄積することであると僕は考えます。そういう原材料をたくさん貯め込める「余地」を自分の中にこしらえておくことです。

「ものごとの是非や価値について早急に判断を下さず、結論はできるだけ留保し、先送りするように心がける」――まさに、**「サスペンド」する力**、ネガティブ・ケイパビリティが小説家にとっての鍵であるとの指摘です。

第4章

ありたい自分に近づき、
他人に寛容になり、
物事の本質が
見えるようになる

ここからは具体的な対象や文脈ごとに、ネガティブ・ケイパビリティについて考えていきたいと思います。まずは、私たち一人ひとりのネガティブ・ケイパビリティです。

器の大きな人物、小さな人物

ネガティブ・ケイパビリティとは、これまで説明してきたように、「答えのない、不確かな事態から逃げずに踏みとどまり、未来を拓く力」です。ある出来事や考え、人について、すぐに「結論を出す」、「理解する」、「納得する」というよりも、本当なのだろうか、なぜなのだろうか、と**わからない状態に耐え続け、問い続ける力**です。

それは、ひとつには、不安や不確実性に建設的に向き合い、後悔や失敗の少ないより正しい意思決定をおこなうためであり、昔から、「急いては事をし損じる」、「急がば回れ」、「跳ぶ前に見よ」といった格言が注意し続けてきたことでもあります。

また、創造的な自己を育てるためにも、すぐに「わかった」として思考停止しないこと。「わかった」と思ってしまう手前で、「立ち止まる勇気」でもあります。

さきほど、ネガティブ・ケイパビリティの重要な概念として、「containment」を紹介しました。「器にいれるように、そのまま保つ」ということ、「受け入れる」ではなく、「受け容れる」ことだと説明しました。

よく「人間の器」ということを言いますよね。「器の大きな人物だ」、「あの人は器が小さい」というように。このように「人間の器の大小」というとき、それはネガティブ・ケイパビリティの大小を言っているのではないか、と思うのです。

器の大きな人物は、ネガティブ・ケイパビリティがあるから、性急に決めつけたり判断したりせずに、いろいろな状況や人の感情・言動をそのまま「受け容れる」ことができる。自分がその意見に同意していなくても、「なるほど、この人はこう考えているのだ」と受け容れることができるのですね。些細なことにこだわらず、短期的な損得を超えた時間軸で、受けとめ、考えることができる。不安や不確かさ、曖昧さにも動じず、自分の非も、他人の失敗も、認め、許すことができます。

対照的に、器の小さな人物は、ネガティブ・ケイパビリティがあまりないから、不確かな状態や自分の意図や望みと異なる状況に「耐えられない」のでしょう。すぐに白黒つけたがる。自分の思いだけを貫き通そうとする。自分の思い通りにならないと不機嫌になる。目の前の損得勘定で判断しようとする。すぐに見返りを求める。(おそらく自分に自信がないため)自分の非を認めようとしない。つまり、「器」のスペースがあまりないので、不安や不確かさに耐えられず、高飛車に決めつけたり、感情的になったり、と、「散らす」方向に行ってしまうのでしょう。

中国古典の『老子』は、「器」が何から成り立っているかを教えてくれます。

埴(しょく)を埏(せん)して以て器を為(つく)る。
其の無に当たりて、器の用あり。
戸牖(こいう)を鑿(うがち)て以て室を為る。
其の無に当たりて、室の用有り。
故に有の以て利を為すは、無の以て用を為せばなり。

粘土をこねて器を作る。その器の中に何もない空間があるから、物を容れるという器としての役割が果たされるのだ。また戸や窓をあけて部屋を作るが、部屋というものはそこに何もない空間があればこそ、人を入れる部屋としての働きをなすことができる。つまり、「有」すなわち存在するものが人々に利をもたらすのは、「無」すなわち存在しないものがその役割を果たしているからである。

結論や判断、予想（ビオンの言葉を借りれば、記憶も理解も欲望）も入っていない空っぽの器だからこそ、新しい考えや気づきなどがどんどん生まれる、ということと同じですね。大きな空虚をホールドできる器が「大きな器」ということです。

老子が「有があるのは無があるからこそだ」というのは、「ネガティブ・ケイパビリティがあるからこそ、ポジティブ・ケイパビリティが発揮できるのだ」ということにも通じます。前にも述べたように、ポジティブ・ケイパビリティもネガティブ・ケイパビリティも、両方とも大事であり、必要なものなのです。

精神分析家にネガティブ・ケイパビリティが必須であると主張したビオンも、例えば、待合室や相談室の設置、セッション時間や料金の合意、資格や認定に関する組織構造、相談やスーパービジョンを受ける仲間や同僚とのやりとりといったポジティブ・ケイパビリティも重要であると述べています。自転車の前輪と後輪のように、両方がそろってはじめて、安全に効果的に機能することができるのです。

器の大きな有能な人物になるために、有名な「**ニーバーの祈り**」に倣って、「ネガティブ・ケイパビリティの祈り」をどうぞ。

「ニーバーの祈り」

神よ、私たちにお与えください。
変えられないことを受け入れる冷静さを
変えるべきことを変えていく勇気を
そしてこの二つを見分ける知恵を

（ラインホルト・ニーバー）

「ネガティブ・ケイパビリティの祈り」

神よ、私たちにお与えください。
テキパキと処理していくべきときに、テキパキと処理していく力を
不確実な中でとどまりつづけるべきときに、じっととどまりつづける力を
そしてこの二つを使い分ける知恵を

（エダヒロ・ジュンコ）

ネガティブ・ケイパビリティを高めると、こんな自分になれる！

ネガティブ・ケイパビリティの研究者たちは、「ネガティブ・ケイパビリティを有

している人物」は、「冷静で」、「プレッシャーがあっても落ち着いて対処でき」、「ゆるぎないあり方を保ち」、「自分と相手と世界への信頼を失わず」、「内なる自由」や「真の勇気」を有している、と描写しています。立ち止まる勇気と自分を律する克己心を持ち、高く跳ぶためには低くかがむ必要があることを知っている人の強さです。なんとも魅力的だと思いませんか？

ネガティブ・ケイパビリティを高めることで得られると考えられるものをいくつか挙げましょう。

「ありたい自分」を探り、近づいていくことができる

まずは、「より自分らしい、より腑に落ちる生き方・あり方」です。

私は年に2回、「自分合宿」を開催し、ファシリテーターを務めています。「自分のビジョンを描き、ビジョンに向かって着実に自分を進めていくための〝自分マネジメントシステム〟を身につける」ための少人数の自己啓発セミナーで、これまでに延べ

600名近くの方が参加しています。

このセミナーで受講者にお届けしたいのは、「一度立ち止まってゆっくり考える〝自分のための時間〟」です。時代や社会のスピードが増し、ただでさえ「何をどう行うか」、「どういうあり方でいたいか」をじっくり考える時間を取ることは難しい。慌ただしい毎日のなかで、「あとで」「そのうち」と押しやり、目をつぶってきたものがたくさんあるのではないか。一度、しっかりとそのための時間と場を設けて、自分だけの中長期戦略を立ててみませんか？　とお誘いしています。まさに、「安心してネガティブ・ケイパビリティを発揮できる時間と場を設けましょう」ということです。

「私はどこに向かっているんだろう……」、「人生100年時代、折り返し地点で改めて、自分は何をしたかったのか、何をしたいのかを考えてみたい」という方々が、日常から離れた場で、朝から夕方までしっかりとそのための時間をとることで、心の中のモヤモヤに向き合うことができます。

ファシリテーターとしての私の役割は、みなさんが安心してネガティブ・ケイパビリティを発揮できるよう、考えるための問いと時間割りを設計し、見守りながら、器のように「場をホールドする」ことです。

「時間はゆっくり流れているのに、あっという間の1日だった」と何人もがいうような不思議な時間を過ごし、「ゆっくり特別な時間を持つことの大切さを実感した」、「ふだんは自分との対話を徹底的に行うことはなかなかできないが、ここでは自分の本音と向き合うことができた」、「静かに自分自身を振り返ることができた。『大事だけど後回しにしていたこと』に向きあう良い時間だった」などの感想が寄せられます。思い思いにネガティブ・ケイパビリティを発揮し、自分と向き合い、ありたい自分に向かっての一歩となっているようです。そして、「日常に戻ったときにも、自分でネガティブ・ケイパビリティを発揮できるようにする」ために、必ず「振り返りの時間」を持つよう、受講者の方に繰り返し伝えています。

それぞれの生活の中で、心の中の小さな声や違和感、モヤモヤにフタをしてしまい、なかったことにするのではなく、安全な〝器〟を自分で設けて、ゆっくりと振り返ったり向きあったりする時間を持つことで、ネガティブ・ケイパビリティも高まりますし、納得度の高い人生に近づいていくことと思います。

他の人に深く共感し、深く理解できるようになり、寛容になれる

ネガティブ・ケイパビリティがあれば、決めつけたり押しつけたりすることなく、相手の言葉をじっくり聴き取ることができるようになります。相手が沈黙していても、焦らず、じっくりと相手の思考を待つことができます。そう、大きな器のように、急かすこともなく、拒絶したり否定したりすることもなく、相手の言葉も沈黙も、そのまま受け容れることができるようになります。

そうすれば、なぜこの人はこのように考えているのか、このように感じているのかがよりわかってきます。どこまでいっても、他人のことですから（自分のことでもそうですが）100％わかり切る、ということはありません。でも、ネガティブ・ケイパビリティがなかった場合に比べると、格段に深くわかってきます。表面的な頭での理解ではなく、感情の揺れまで含めて、共感することができます。

一見、理解できない言動や自分を苛立たせる言動に対しても、相手の状態が深くわ

かってくれば、寛容になれることでしょう。相手との人間関係もずっとしっかりした深いものになっていきます。ネガティブ・ケイパビリティは、リーダーはもちろん、どんな人にも大事な能力と言われる**「傾聴」を支える力**でもあるのです。

先にも触れましたが、私は教育心理学を学んでいた大学院時代に、カウンセラーになるため、カウンセリングのトレーニングを受けていました。ロジャーズ派といわれる「来談者中心療法」のカウンセリングで、ここで徹底的に傾聴をたたき込まれたのでした。

「来談者中心療法」とは、文字どおり来談者（精神分析では患者といいますが、カウンセリングではクライアントまたは来談者といいます）が中心で、カウンセラーはとことん、来談者についていく、という聴き方をします。１００％の注意を相手に向けながら、自分の思いや感情、欲（こうしてくれたらいいのに、など）に邪魔をさせることなく、ひたすら相手の言葉や、言葉にならないものを受け容れるのです（「受け入れる」ではなく）。

カウンセリング中には、「絶対にそんなことないんだけどなあ」と思うような発言が来談者から出ることもあります。

「みんなが私のことをバカにしているんです」

と言った相手に、

「いや、みんなってことはないでしょう」、

「少なくとも私はあなたをバカにはしてませんよ」

と言っても役には立ちません。

「ああ、あなたはみんながあなたのことをバカにしていると思うのですね」

と、あくまでも相手がどう思って、どう考えているかに寄り添って聴いていきます。

相手の言っていることを間違っているとも正しいとも言わず（考えず）、まさにネガティブ・ケイパビリティを発揮して、どこまでも寄り添いながら聴いていくのです。

自分を空虚な器にして、どこまでも聴いていく、という聴き方は、非常にエネルギーを使います。ですから1時間のカウンセリング・セッションが終わるとふらふらになります。もっとも、カウンセラーといえども、24時間365日、そのような聴き方をしているわけではありません！（ふだんは「人の話をまったく聴かない！」と家族な

どに怒られているカウンセラーもいます）トレーニングを受けたカウンセラーは、必要な時には、このような「深い聴き方」に切り替えることができる、ということです。

傾聴で大事なポイントは、「自分の意見を保留して、相手の意見を聴くこと」と「相手の意見に同意すること」は違う！　ということです。保留して相手の意見をとことん聴き、そのあとで、自分の意見を言えば良いのです。相手の話をとことん聴いても、同意したことにはならないのですが、「最後まで話を聴くと、同意することになるのでは」と恐れて、人の話の腰を途中で折ったりして、最後まで聴かない人が多いように思います。

心配なら「君の意見をトコトン聴くけどね、自分の意見は同じじゃないと思うから、終わってから言うね」と釘を刺しておけばよいのです。**傾聴と同意は違**う、と意識してください。

今でも思い出すエピソードがあります。

かつては環境問題への取り組みについて、環境ＮＧＯなど環境派の「CO_2を減らすべき」、「そのために炭素税を入れるべき」などという主張と、経団連などの産業側の「そんなことをしたら競争力が落ちてしまうから反対だ」、「日本だけがやる必要はない」などという主張がいつもぶつかっていました。私も環境派のひとりとして、「朝まで生テレビ」で〝闘った〟こともあります。

ところがあるとき、ひょんな巡り合わせで、その〝天敵〟の中でも論客中の論客と、空港のラウンジで2時間ぐらい2人だけで時間を過ごすことになってしまいました。当然ながら、「朝まで生テレビ」の続編（？）が始まりそうになりました。

視聴者が見守っているテレビ番組では当然、〝環境派〟として論を張って闘いましたが、出国前のラウンジでは別にそうする必要もありません。そこで私は「傾聴モード」に自分をセットし、「なるほど、そうお考えになるのですね。すると？」と、どんどん相手の話を聴いていきました。1時間ほど、自分の話はまったくせずに、最後までその方の話を聴いてから、「あなたのお考えはだいぶわかったと思います。これ、これ、こういうことと受けとめました。で、私は違う考えなんですよね」と、おもむろに自分の考えを伝えたのです。

2時間後にラウンジから出るとき、その方はこう言いました。

「これまで多くの環境派と話をしてきたが、私の話を最後まで聴いたのはあなたがはじめてだ」。

そして、その後、経済界のシンポジウムや対談の機会などにどんどん声を掛けてくれるようになったのでした。

「エダヒロさんは聞き上手だそうですね。相手に気持ち良く喋ってもらうために、どんな相槌を打っているのですか?」と聞かれることもありますが、「遮ったり質問したり急かしたりして、相手の思考の邪魔をしない」ということ以外、特別に意識していることはありません。

10年ほどまえに、ある雑誌の企画で、経営学者・思想家の田坂広志氏にインタビューさせていただく機会がありました。うれしいことに、2時間ほどのインタビューが終わったとき、田坂氏が「あなたには深く聴き取る力があるね」と言ってくださったのです。「おかげで、いつもよりも深く話せたと思う」と。

大変光栄なことだとうれしく思い、雑誌社に頼んでインタビューのテープ起こし原稿を見せてもらいました。「私はどんな相槌を打っていたのだろう?」と思ったからです。ちなみに、100％「今、ここ」状態（フロー状態とも言います）で聴いているときには、自分がどんな相槌を打っているか、打とうか、なんて意識していないし、終わったあともほとんど思い出せないのです（私だけかもしれませんが）。

そうして、テープ起こし原稿を見ました。ところが、私の発言は「うーん、うーん」だけだったのです！　録音を聴けば「うーん」の1つ1つの〝音色や強弱〟が違っていたのでしょうけど、文字にすると、どれも「うーん」。それこそ「うーん」となってしまいました。でもインタビューの間、田坂氏と一緒に田坂氏の思考の階段を降りていくような感覚だったことは今でも覚えています。

より真実に近づいていける

「疑いは、発明の父である」と言ったのは、イタリアの天文学者・物理学者ガリレオ・ガリレイでした。「疑いは、知の始まりである」と言ったのは、フランスの哲学者・数学者・物理学者ルネ・デカルトです。

疑うこと。疑い続けること。わからなさにフタをせずに、「わかっていること」と「わからないこと」の間を突き詰めていくこと。いったん「わかった！」と思ったことも、「本当にそうだろうか？」、「別の考え方はないのだろうか？」と、何度でも考え直すこと。器に容れて、いろいろな角度から眺め透かして見るように。そうすることで、より真実に近づいていけます。

特に、今の時代はインターネットを使えば、何でも気軽にすぐに調べられます。かつては、図書館まで出かけていって調べたり、書籍や雑誌のバックナンバーを取り寄せたりしなくてはならなかったのが、今では、ネットで検索キーワードを入れれば、瞬時に関連情報が出てきます。インターネットはとっても便利なのです。

でも、その「即時性」にあまりに慣れてしまうと、「脳の耐える力」が劣化していきます。パッと出てきたものを「答え」だと思い込んでしまう。答えがすぐに出てこないと、簡単に諦めてしまい、調べたり考えたりすることをやめてしまう。

社会が便利になればなるほど、答えでも情報でも手軽に即時に差し出してくれるようになればなるほど、考え続ける・考え抜くためのネガティブ・ケイパビリティが重要なスキルになってきます。

第 5 章

ネガティブ・ケイパビリティを高める方法

ネガティブ・ケイパビリティとリーダーシップに関する研究者・ロバート・フレンチは、「ネガティブ・ケイパビリティは、生まれつきの能力というよりも、意識して学ばなければならないものである」と言います。

生まれつきの能力ではなく、意識して学ぶことができるというのは朗報です！ では、どのように自分のネガティブ・ケイパビリティを高めていけば良いのでしょうか。「意識」、「日常生活での練習」、「鍛えるためのツールや枠組み」を見ていきましょう。ぜひご自分でもいろいろ試して、リストに追加していって下さい。

意識する

まずは、ネガティブ・ケイパビリティの土台となる意識を確認しましょう。

(1)「自分はすべてわかっているわけではない」、「わからないことがある」ことを

認める

(2) すぐに判断したり、解決策を見いだそうとしない

(3) 疑問や疑いを抱いたままにしておく

(4) 自分の思い込みを疑ってみる。「自分がこう考えるのは、どのような前提や信念、思い込みがあるからだろう？」

(5) 自分の考えはつねに進化し続けるものだと考える。考えを変えても良いし、状況や時代の変化にあわせて、変えていく方がよいことも多い

日常生活の中で鍛える

ネガティブ・ケイパビリティを高めるには、日頃の練習を続けることが必要です。前屈のストレッチも「1日1ミリずつ」深く屈めるように、毎日練習すれば、半年後には驚くほど前屈できるようになります（わが身をもって実証済み！　ただし、安心し

て練習をさぼると、驚くほど元に戻ってしまいます↑こちらも実証済み……）
順不同ですが、「日頃の練習」項目を挙げてみましょう。

根気強く考え続けることを意識する

何か気になること、考えるべきことがあれば、えいやと結論づけたり考えることを諦めたりすることなく、根気よく考え続けることを意識しましょう。いつもいつもでなくても、時々意識するだけでも違います。すぐに安易に解決してしまわずに、問いを持ちつづけることです。

『中庸に学ぶ』で著者の伊與田覚氏は、考え続けることの具体例として、だれもが知っている二宮金次郎や松下幸之助氏を挙げています。

世の中、頭のいい人が必ずしも優秀で成功するとは限りません。真剣に取り組むことによって知識を超えた霊感も働くのです。優秀な人ほど他人の話を聞いても、「ああ、こんなもんか」と、すぐに分かった気になりますから霊感が働かないのです。ところが、そう優秀でもない人は、「それは何か？」と一所懸命考えます。

江戸時代の思想家であり実践家でもあった中江藤樹や二宮金次郎は、「聖人」ともいわれますが、彼らは本を読んで、一句あるいは一文字でも意味が分からなかったら、二日も三日も自分で「ああ、分かった、分かった」となるまで考え通しました。『論語』の冒頭に「学びて時に之を習う。またよろこばしからずや」とあるように、自分で納得できた喜びというものは、何物にも代え難いものです。

経営の神様と呼ばれた松下幸之助さんは、小学校を四年で中退しています。お父さんが米相場に手を出されて失敗し、松下さんは卒業する前の年の十二月に大阪に丁稚奉公に行くことになりました。しかし、次々と新しい事業を興し、それを成功させてきたのですが、その松下さんがこういっています。

「何か大事をなそうと思いついたら、一万回の祈りを捧げることが大切だ」と。祈るということは考えることです。ずっとそのことを考え続ける。一日に一回だけ考えていたら一万回で三十年かかりますが、三回思ったら十年、一日に十回なら三年になります。石の上にも三年といいますが、そこまで考え続けると、ある時、ヒョッと兆しが現れてくるんです。

また、『ゼロ秒思考』という、ネガティブ・ケイパビリティの真逆のようなタイトルの書籍の冒頭に、著者の赤羽雄二氏は「優れた経営者、優れたリーダーはどうして即断即決できるのか。普段からその問題について考え続けているからだ」と述べています。諦めずに、安易な結論に逃げずに、考え続けること。**ネガティブ・ケイパビリティに支えられての即断即決**なのですね！

自分が発言したり考えたりしたときに、「〜と言う私がいる」、「〜と考えている私がいる」と付け加えてみる

こうすることで、自分の発言や思考から少し距離を置いて、他の可能性も考えられる余地が生まれます。

「自分の物の見方や考え方以外の可能性はないかな?」と、多面的に物事を見る時間をとるようにする

私たちは「これはこうだ!」と思った瞬間に、それ以外の見方や考え方をシャットアウトしてしまいがちです。そして、自分の考えは正しい、と思えば思うほど、それ以外の考えや可能性を排除してしまうのです。

「問題」には二種類あると言われています。「正解がある問題」と「正解がない問題」です。たとえば、月の軌道を計算するという問題には、正解があります。計算方法を知っている人が（またはコンピュータが）きちんと計算すればよいだけです。

ところが、私たちが直面している問題の多くは、「サービスとコストをどう両立させるか？」、「どのようなまちづくりをするのがよいか」、「発電所を立地すべきかどうか」など、**「正解がない問題」**です。

こういった問題では、それぞれの人が「自分にとっての正解」を持っているため、「どちらが正しいか」という水掛け論的な論争になりがちです。しかし本当に大事なことは、様々な意見を出し合い、それぞれの長所・短所を吟味しながら、時間をかけてでもより質の高い解決策を模索し、合意形成をはかっていくことです。そのためには、自分の見方だけではなく、立場や意見の異なる人々の見方も取れるようになる必要があります。

では、どうすれば立場や意見の異なる人々の見方も取れるようになるのでしょうか？「これはこうだ」、「こうに決まっている」と決めつけるのではなく、ネガティブ・ケイパビリティを発揮して、「自分はこう考えるけど、ちょっと待てよ、あの人だったらどう考えるだろう？」と考えてみることです。そして、そのための時間をとることです。

違和感・不快さ・居心地の悪さを感じたら、立ち止まる

そして、「これは知らないこと・わからないことから来る不安・居心地の悪さなのだ」と自分で気づくこと。さきに精神分析医の土居健郎氏が「〝わからない〟感覚を涵養することも必要」と述べていたように、わからなさの所在を示す不安や居心地の悪さを自分で識別できるようになることです。

そのために、「モヤモヤ日記」をつけることもお薦めです。定期的に、心の中の違和感やモヤモヤ、何かわからないけど、気になることなどを書き出すことで、心の声に耳を傾けやすくなります。

また、違和感や居心地の悪さは、他の人を理解する上でも大きな手がかりになります。「共感」だけではなく、「違和感」も、相手や状況を理解するための力となるのです。より深い理解につながる可能性もあります。違和感を感じたときには、すぐに答

えを出したり、目を閉じたりせず、違和感を抱えたまま留まることを意識してみましょう。

人を既成概念や思い込みに当てはめていないか？　と自問してみる

キーツは、「世界は、善人や悪人ではなく、素晴らしく複雑で、時には自己矛盾を抱える人々で構成されている」と書いています。私たちはつい短絡的に、「この人はこういう人だ」と思ってしまいがちですが、「この人にはこういうところもある（別の面もある）」というとらえ方ができるようになるとよいと思います。決めつけたりしそうになったら、自分はその人についてのすべてを知っていると思い込んでいないか？　と自分に問うてみてください。

「不思議」を見つける

「ああ、不思議だなあ」と思う気持ち（センス・オブ・ワンダー）は、思考やこだわりから私たちを解き放ってくれます。五感と心を研ぎすませてみれば、身の回りや移動中の車中からでも、「不思議」なもの・ことがたくさん見つかります。特に答えを探さなくてもよいので、「あら、不思議だなあ」「ふだん気がつかなかったけど、これは何だろう？　何でだろう？」と不思議ワールドに浸ってみましょう。

森や海岸を歩いてみる、自然に触れる

ときどきは、時計で計られる「人間の時間」を離れ、自然の中で過ごすことも、ネガティブ・ケイパビリティを培うことにつながるとアドバイスする研究者も少なくありません。

さきほどの「不思議を見つける」の『センス・オブ・ワンダー』は、1965年に出版されたレイチェル・カーソンの著作の書名でもあります。レイチェル・カーソンの言う「センス・オブ・ワンダー」とは、自然に触れることで受ける、ある種の不思

議な感動や、自然などからある種の不思議さを感じ取る感性のこと。理性や合理性を超えたところにある感性の世界を感じることができるのも、ネガティブ・ケイパビリティがあってこそ、でしょうし、短くてもそういった時間をとることがネガティブ・ケイパビリティをはぐくむことにもつながります。

1日1つ、何かを我慢してみる

すぐに答えや動きを求めない心、つまり、「心の忍耐力」を鍛えます。「おやつを食べたくなったが、5分だけ待ってからにした」「ネットサーフィンをもっと続けたかったが、我慢してやめた」といった日常の小さいことでよいですので!

ペースを落とす

何かをスローモーションで行う、ということではなく、十分に「間」をとることを意識してみるとよいでしょう。

「間」とは、時間的に2つの部分にはさまれた時間です。「見る」→「結論づける」、「聞く」→「判断する」と、すぐに飛びつくのではなく、「見る」→「間」→「結論づける」、「聞く」→「間」→「判断する」と間をはさむことで、即答・即決して思考停止に陥ることなく、じっくりと考えたり、見直したり、いろいろな可能性に思いを馳せたりすることができます。この大事な「間」を抜いてしまって……「間抜け」になってしまわないように！

美術、文学、演劇などに親しむ

詩や絵画、音楽などに対して、「わからない」、「この作品はどういう意味なのか？」と言う人がいますが、それはポジティブ・ケイパビリティ的な思考です。意識的に詩や絵画、音楽などを「わかろう」と努力したり、「わからないからだめ」と拒絶したりするのでなく、ただ浸ってみる。親しんでみる。

自分が「わかる」世界は限られていて、その奥には「わからない」世界が広がっています。そちらの世界も面白いなあ、不思議だなあ、と思ってみてください。「わかる」努力をやめてみる練習にもなります。「わからない」という世界にたくさん触れることで、少しずつ慣れ、楽しめるようになると思います。

文章をつくってみる

日記やエッセイを綴ってみるのも、ネガティブ・ケイパビリティを鍛えるまたとない機会です。どういう情景や思いをどのように切りとって、どのような言葉や表現で表すのか。ああでもない、こうでもない、と頭と心を使うでしょう。「ええい、めんどうだ、腑に落ちないが、これでいい！」と諦めてしまわずに、ああでもない、こうでもない、というプロセス自体を楽しめるようになるとよいですね。決してうまく書く必要はありません。大事なのは、自分のまだ言葉にならない何物かを、言葉という目に見えるものに変換しようとしてみること。俳句や短歌を創ってみるのも、面白くてよいトレーニングになると思います。

哲学書か思想書を1冊、近くに置いて、少しずつでも読んでみる

哲学書や思想書は難しそうで……と遠慮しがちですが、難しそうな本を相手に、一行の文章を深く読む練習ができます。読み流しては、著者の言いたいことや大事なこともわかりませんから、「何が言いたいんだろう？」、「どうしてこういう表現を使っているのだろう？」とじっくりと考えながら、必要があれば何度でも前に戻ったりしながら読みます。ここでは「何冊読んだか」、「どれぐらいのスピードで読めたか」といったポジティブ・ケイパビリティの達成度を求めることはしません。「あきらめたり早急な結論を出したりせずに、わからない、わかりきらない時間を、じっくり過ごせる力」であるネガティブ・ケイパビリティのトレーニングだと思って下さい。

「急がないが重要なこと」に使う時間を取り分けておく

私たちの時間の投下先は、「急ぎか急ぎでないか、重要か重要でないか」の４象限に分けて考えることができます。

だれでもまずは「急ぎで重要なこと」に取り組みます。その次には、「重要ではないが急ぎのこと」（人から頼まれたこと、〆切があるものなど）に時間を使うことが多いでしょう。その結果、「急がないが重要なこと」は時間切れでできない、という状況

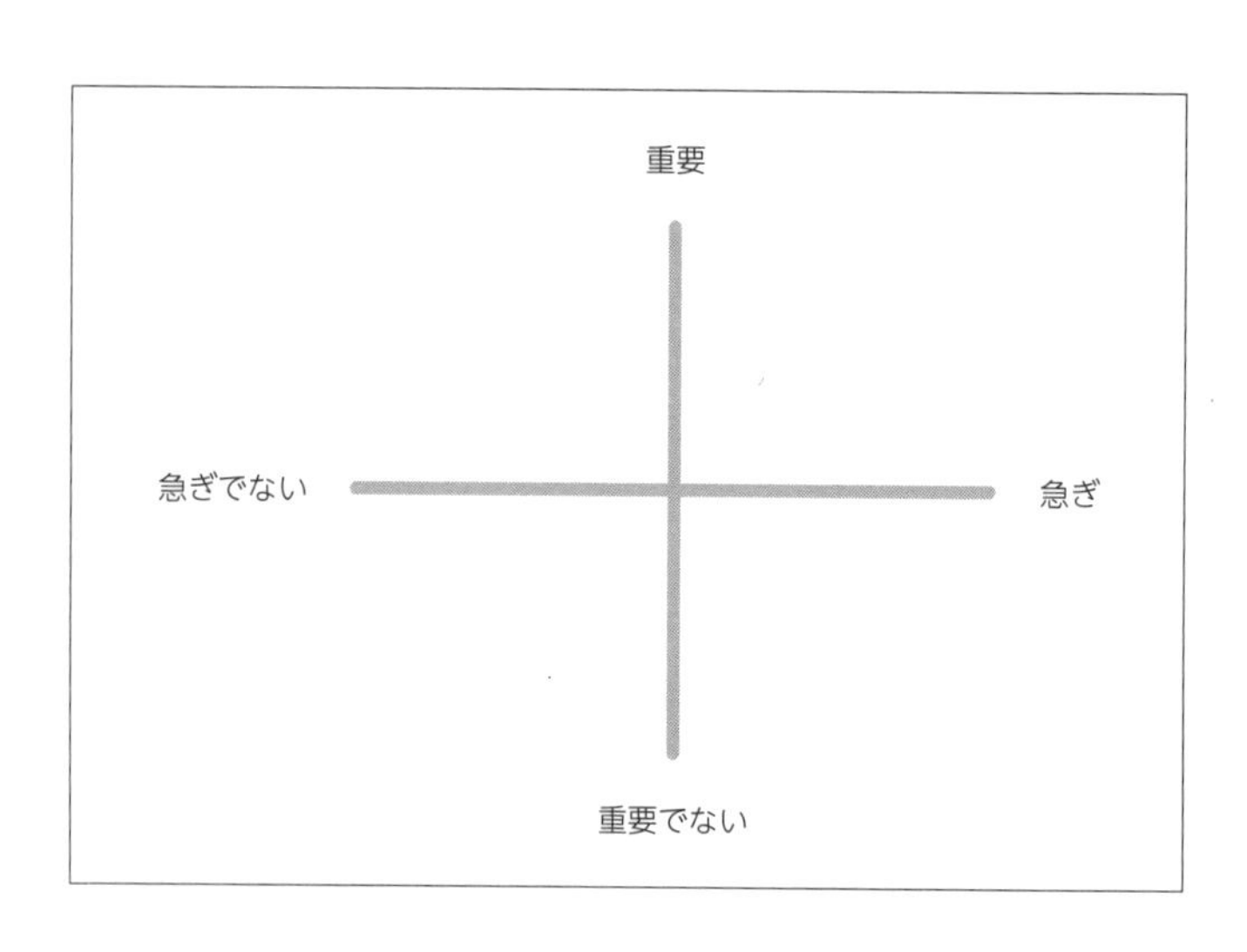

に陥りがちです。放っておくと、テキパキとこなす・片づける作業のためのポジティブ・ケイパビリティの出番ばかりで、ネガティブ・ケイパビリティをじっくり使い、養う時間が取れなくなってしまうのです。

だからこそ、そのための時間を取り分けておきます。「自分合宿」の参加者には、「先に参加費を払ったから、この時間を死守できました」と言われる方もいます。自分とのアポを守るしくみをつくって、時々でも、ネガティブ・ケイパビリティを発揮しながら「急がないが重要なこと」を考えたり行ったりする大事な時間をしっかり守るようにします。

振り返りの習慣をつける

振り返りとは、「内省」とも言われるもので、読んで字のごとく「自分の内に省みる」こと。自分の心と向き合い、自分の考えや言動、その理由などについて、なぜそう考えたのか、なぜそのように行動したのか、どう感じたのか、などを振り返ることです。

似た言葉である「反省」は、自分の誤った考えや言動を振り返ることです。「内省」は誤っていてもいなくても、自分の考えや言動などを振り返って気づきを得ることを目的に行うもので、反省のような自己批判は不要です。

特に、自分の考えや思い込みが、自分の言動にどのように影響を与えたのかを振り返ることが役に立ちます。振り返り自体が「いったん歩みを止めること」です。内省によってわかってくることも、逆によくわからなくなることもあるでしょう。すぐに答えを求めなくても大丈夫。どれも大事な心の糧になります。

「怠ける日」を設ける

禅僧・平和・人権運動家・学者・詩人であるティク・ナット・ハン師は、「レイジー・デイ（怠ける日）を設けなさい」と説いています。その日は、何も予定を入れず、ゆっくりと、時間を気にしないで、自然にまかせて過ごす日にするのです。ポジティブ・ケイパビリティ系の活動はお休みにして、ゆったりとただ「存在していること」を楽しむ日です。

私たちは何もしないでいると時間を無駄にしているような気持ちになりますが、それは違います。あなたの時間は、何よりもあなたが存在するための時間です。あなたが生き生きとして安らぎ、喜びに満ち、やさしくあるための時間です。

（『ブッダの幸せの瞑想』より）

ネガティブ・ケイパビリティを鍛えるためのツールやエクササイズを用いる

このように日頃からちょっと意識したり気をつけたりすることで、ネガティブ・ケイパビリティを高めていくことができますが、時には意識的にネガティブ・ケイパビリティを鍛えるツールや枠組みも使ってみてください。

「保留」のトレーニング

〈観察〉に注力して、〈判断・解釈を保留する〉練習です。

少なくとも5分間、ある物や状況を見ることに意識を集中します。意識が自分の中の思いつきや思考など別の方へ行っていることに気がついたら、元に戻して純粋な観察を続けます。

そして、観察している間、「自分はこれが好きだ」、「これは好きではない」というようなことは思わないようにします。「自分はこう思う」、「そう考える」とも言ってはいけません。判断や解釈を保留します。

とてもシンプルな、しかし強力な基礎トレです。「5分間」、「10分間」などと時間を決めてやるとよいと思います。

ひとりブレスト

「ブレスト」とは、ブレーンストーミング（Brain storming）のこと。通常はチームで行いますが、自分ひとりでもできます。判断や決断を下すのを少し待って、「こういうこともある」、「こんな側面もある」、「あんなこともできる」と、いろいろな側面や可能性を探ります。

脳内で嵐が吹き荒れるがごとく、ありえないものも含めて、いろいろ考えてみるために、ブレストのルールを意識してください。

- 出たアイディアに対しては評価や否定をしない
- 質より量を重視する
- アイディアを組み合わせていく
- ブレスト中は判断や結論を出さない

ひとりブレストをやっている間は、ネガティブ・ケイパビリティの発揮時間になります。

ひとりディベート

同様に、通常は二手に分かれて行うディベートを、自分ひとりで行います。

ディベートとは、ひとつの論題に対し、肯定側と否定側に分かれた2チームが、自チームの議論の優位性を聞き手に理解してもらうために、客観的な証拠資料に基づいて議論するコミュニケーションです。たとえば、「死刑制度は廃止すべき」という論題に対して、そうすべきという肯定側と、そうすべきではないという否定側が、その理由と根拠を出し合い、先方の論に反駁しながら、自分たちの論が正しいことを訴えます。

面白いことに、肯定側になるか、否定側になるかはその場でジャンケンやコイントスで決めるのです。つまり、**自分の意見や賛否は関係**ないのです。

自分自身の体験では原子力発電をテーマにして、元々原発反対派の私が、「原発は続けるべきだ」という論を張らなくてはならないこともありました。本来の自説はいったん置いておいて、原発を続けるべき理由とその根拠を真剣に探し、説得力のある論を練ります。これがどれほど勉強になったことでしょう！

きっかけが何もないまま放っておけば、「原発はやめるべき」という自分の意見を支える理由と根拠しか、普段は考えません。情報を検索しても、自説を支える情報しか見えてきません。でも、強制的に「原発を続けるべき」という理由と根拠を探し、考えたことで、原発推進派の人々の考えの根拠と筋道がわかってきます。自分たちには見えていなかった事実やデータも目に入るようになります。このように、ディベートとは、**論題を自らの思いや立場と切り離し、相対化して、物事の裏表両方を見る視点を養うトレーニング**なのです。

何かを判断したり決断したりするときに、「こうしたらよいと思っているけれど、最終判断をするまえに、別の考え方もしてみよう」と、敢えて「それをしないほうがよい理由」を挙げてみます。最終的には判断や決断は変わらない場合が多いでしょうけど、それでも、多面的に見た上での判断や決断になり、力強さや説得力も増すでしょう。

100%聴いてくれる人に聴いてもらう

幸せなことに100%耳を傾けてくれる人が近くにいれば、その人に聴いてもらいながら、安心して行ったり来たりしながら、いろいろ考えたり深めたりすることができます。100%耳を傾けてくれる人とは、「**相手の思考を深めるための聴き方**」のルールが守れる人です。このルールを紹介しましょう。

① ひたすら聴く
② 意識を集中して聴く
③ さえぎらない
④ 確認以外の質問をしない

⑤　アドバイスしない
⑥　自分の話をしない
⑦　沈黙を恐れない（相手は戻ってくる！）
⑧　相手への敬意をもつ
⑨　柔らかく包み込むような表情で聴く
⑩　話が終わったら、「ほかに思いつくことはありませんか。まだ言いたいことはありませんか」と促してあげる

「15分でいいから、こういう聴き方をしてくれる？」と頼める相手がいたらぜひやってみてください。そして、気になっていることやじっくり考えたいことを口に出して、話しながら思考を深めたり、見方を広げたりしていきます。

終わったら、「じゃ、今度はあなたが話してみて」と聞き役になってみましょう。

この聞き役は、それこそ相手の行ったり来たりについていく練習ですから、ネガティブ・ケイパビリティの非常に効果的なトレーニングになります。

「ちょっと待てよ」のシステム思考を使ってみる

システム思考とは、さまざまなもののつながりを考えることで、状況や情報の本質を捉え、複雑性と対峙し、根本・長期を見通し、根本的な解決策を考えるための思考法です。

私たちが慣れ親しんでいて、企業や組織でも主流である思考法は、対象をより小さな単位に分解する「ロジカルシンキング」です。課題や問題について、要素別に仕分けして結論を導き出そうとするもので、大きな課題も小さな単位に分けていくことで、対処がしやすくなります。

ただし、ロジカルシンキングだけでは、分解されたり仕分けされたりした要素間の相互作用が見えにくくなり、要素間の相互作用がつくりだすダイナミックな複雑性には対処できません。そこで、システム思考を用いて、相互作用をベースに分解した要素を再統合し、全体として考えていくことが重要になります。

システム思考とは、**つながりをたどって関係性の構造を広くとらえようとする「つながり思考」**です。それによって、対症療法ではない効果的な解決策を、副作用を予期・低減しながら考えることができます。

この図はシステム思考の「氷山モデル」と呼ばれるものです。私たちはつい、「先月の売上が未達だった！　営業部隊にハッパを掛けろ！」と、「できごと」に反応して、「できごと」レベルの行動をとりがちですが、システム思考では、「ちょっと待てよ」と教えます。目の前の「問題」だと思っている事態は、氷山モデルで見たらどのようなパターンの一断面なのだろうか？

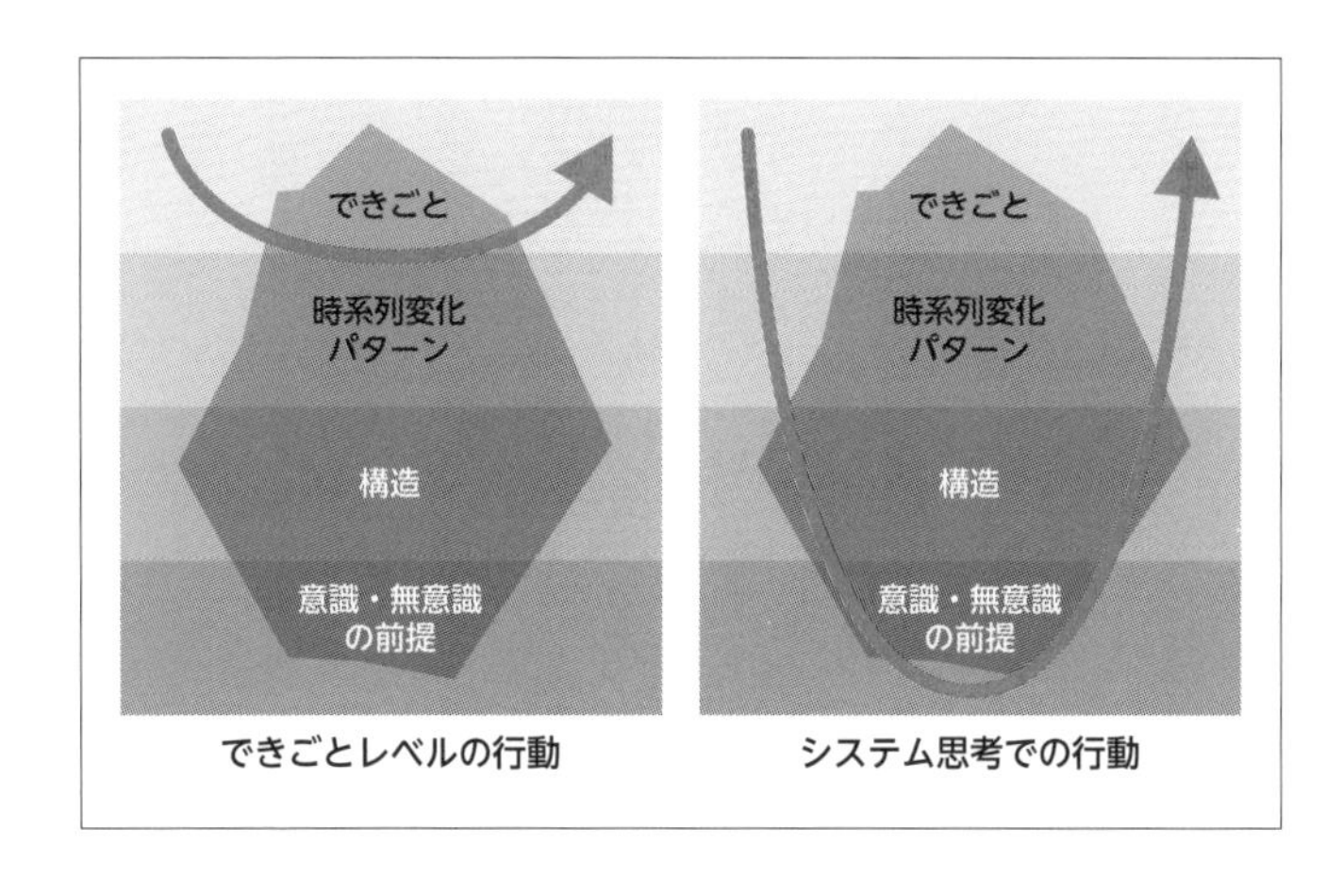

できごとレベルの行動　　システム思考での行動

と考えてみます。そして、パターンをつくり出すのは「構造」ですから、このパターンをつくり出している構造はどのようなものなのだろう？　と考えます。

「問題だ！」と最初に思ったものは、実は症状に過ぎず、本当の問題はもっと深いところにあることがよくあります。売り上げが落ちたのは営業の問題ではなく、市場の構造が変わったためだった、というのはその一例です。そのときに、ただちにポジティブ・ケイパビリティを発揮して、「これが問題だから、この対策だ！」と行動してしまうと、対症療法になってしまい、問題が解決しないどころか、さらに悪化したり、別の問題を引き起こしたりします。そこで必要なのが、すぐに解決策に飛びつかないネガティブ・ケイパビリティなのです。

「これが問題だ！」と速攻で判断し、「これが対策だ！」と速攻で行動するのではなく、すぐに行動したい気持ちを抑えて、判断や決断をサスペンド（保留）し、「パターンはどうなっているのだろう？」、「構造はどうなのだろう？」と考えます。そして、構造を変えるために、働きかけを行うのです。「問題↓解決策やプロジェクト」ではなく、「問題↓パターンや構造の理解↓解決策やプロジェクト」なのです。

システム思考を使って、時系列のパターンを考えることで、単発のできごとだけではなく、大局の流れを見ることができるようになります。また、要素がどうつながっているのだろう？　とつないでいくことで、目には見えない要素も含めて構造を広く考えることができます。この構造を見える化するためのツールが「**ループ図**」です。

これは「道路の渋滞」をめぐる要因を因果関係でつないでいったループ図の例です。何がどうなると渋滞につながるのか（または軽減するのか）、渋滞すると、何にどのような影響を与える

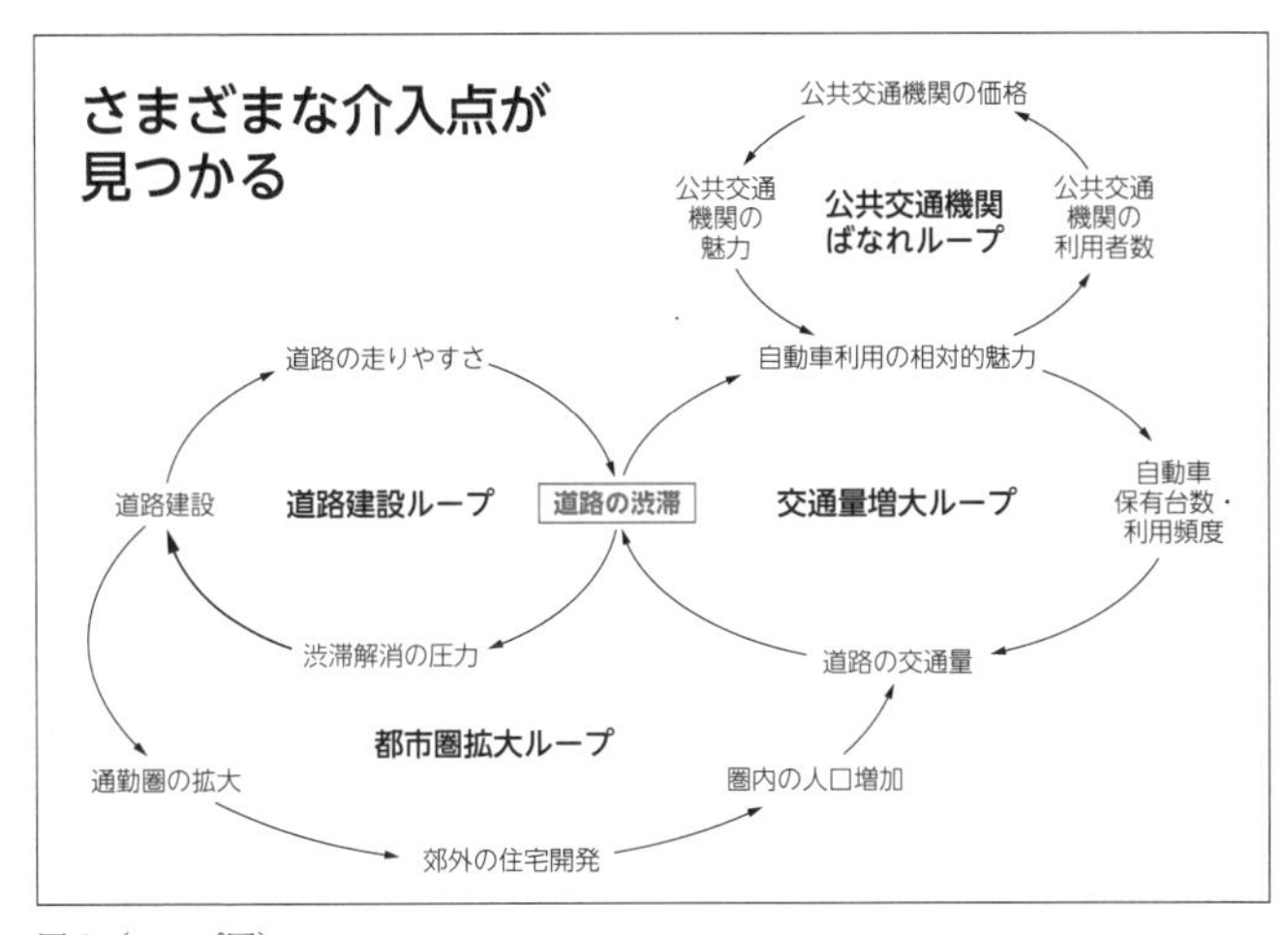

図６（ループ図）

のか、を考えていきます。

同じように、自分が気になっていることや考えてみたいことを中央において、因果関係をどんどんつなげていきます。ループになる部分があってもなくてもかまいません。要素のつながり（＝構造）を見える化していくことで、気づかなかったつながりや要素が見えてきます。そうして、様々な可能性を記録しながら模索することができます。

そして、ループ図を描いている間は判断や理解を保留して探索しつづけていますから、ネガティブ・ケイパビリティを発揮していることになります。ループ図は、自分ひとりで描いて自分との対話を深めたり、自分の認識を広げたりするためにも使えますし、人との対話やグループや組織での話し合いにも役に立ちます。

ループ図を描いていくなかで、対処したいと考えている問題を引き起こしているかもしれない構造やつながりが見つかるかもしれません。そうして、ではどうやってその構造を変えたら良いか、つながりを強化したり弱めたりすればよいか、という具体的なプロジェクト立案のフェーズに入れば、分析、計画、行動を支えるポジティブ・

ケイパビリティの出番です！

「ちょっと待てよ」のシステム思考――目の前の問題や思いついた解決策に飛びつくのではなく、時系列のパターンや構造を考えていくアプローチは、ネガティブ・ケイパビリティの発揮を支えてくれます。

なお、システム思考についてもっと知りたい方は、入門書『なぜあの人の解決策はいつもうまくいくのか？――小さな力で大きく動かす！　システム思考の上手な使い方』（東洋経済新報社）を参照いただければと思います。

推論のはしごをゆっくり上り下りする

先ほどの「氷山モデル」のいちばん底にあるのが「**メンタルモデル**」です。

メンタルモデルとは、私たちが抱いている意識・無意識の前提や思い込みのことで、「〜とはこういうもの」という形で表現できます。たとえば、「日本人は感情を外に出さない国民だ」、「わが社は自動車を作っている会社だ」、「私は人前で話すのが苦手だ」、「あの人はだらしない人だ」など。

「あの人にはだらしないところがある、でもそうでもないときもある」というのが現実でしょうけど、現実が複雑過ぎると考えるのが大変になるので、**頭の中で現実を単純化したモデル**にして（＝メンタルモデル）、そのモデルを元にいろいろと考えるのです。

そのモデルは現実そのものではないのに、それが現実であるかのように思ってしまうと、「**思い込み**」になります。また、「子どもは学校へ行くもの」のように、あるメンタルモデルがある社会で共有されているとき、それは「**社会通念**」と呼ばれます。さらに広く、いくつもの社会で長年共有されているときには、「**パラダイム**」と呼ばれることもあります。天動説がその例としてよく挙げられます。

「あの人はだらしない」という思い込みを持っていると、「部屋が散らかっているのは、きっとあの人のせいに違いない」と考え、嫌な顔をする、怒る、などの行動につながるかもしれません。このように、メンタルモデルは、私たちがどのように現実の世界を解釈し、行動するかを左右します。

さて、私たちは、ある状況に置かれたとき、その現実の中から、ある事実をピックアップして認識します。同じ現実を前にしても、人によって何をピックアップして認識するかは異なります。それぞれの経験や嗜好、関心や興味が異なるからです。

そして、私たちは認識した事実に対し、自分なりの解釈や意味づけをします。どのような解釈・意味づけをするかも、人によって異なります。それぞれの信念や経験、メンタルモデルが異なるからです。自分なりの解釈をもとに、推論したり仮説を立てたりして、結論を出し、その結論に基づいて行動します。推論や仮説もそれぞれのメンタルモデルによって行っています。

私たちはこの作業を瞬く間にやってのけます。自分が現実にある多くの事実から、何をピックアップしたのか、どう解釈したのか、どういう仮説を立てたかなど、意識もしません。**推論のはしご**をあっという間にかけのぼって結論を出し、行動します。

この推論のはしごを駆け上がる過程で得られた「認識」も「解釈」も「推論」も「仮説」も「結論」もすべて、自分の経験や思い込みに影響を受けての「自分なりの」ものです。しかしそれが故に自分には当然だと思えるので、自分の結論は明らかに正しい、と思ってしまいがちです。

（そして同じ結論に達しない他人は「間違っている」と決めつけます！）

同じ現実を前にしても、それぞれが自分の「推論はしご」を駆け上って結論を出している、という例を示しましょう。

「現実」として、「残業をしない社員がいる」としましょう。マネージャーのAさんは「残業することは大事だ、価値がある」と思っています。そのAさんがピックアップしたのは、勤怠管理情報から「この社員は残業をしていない」

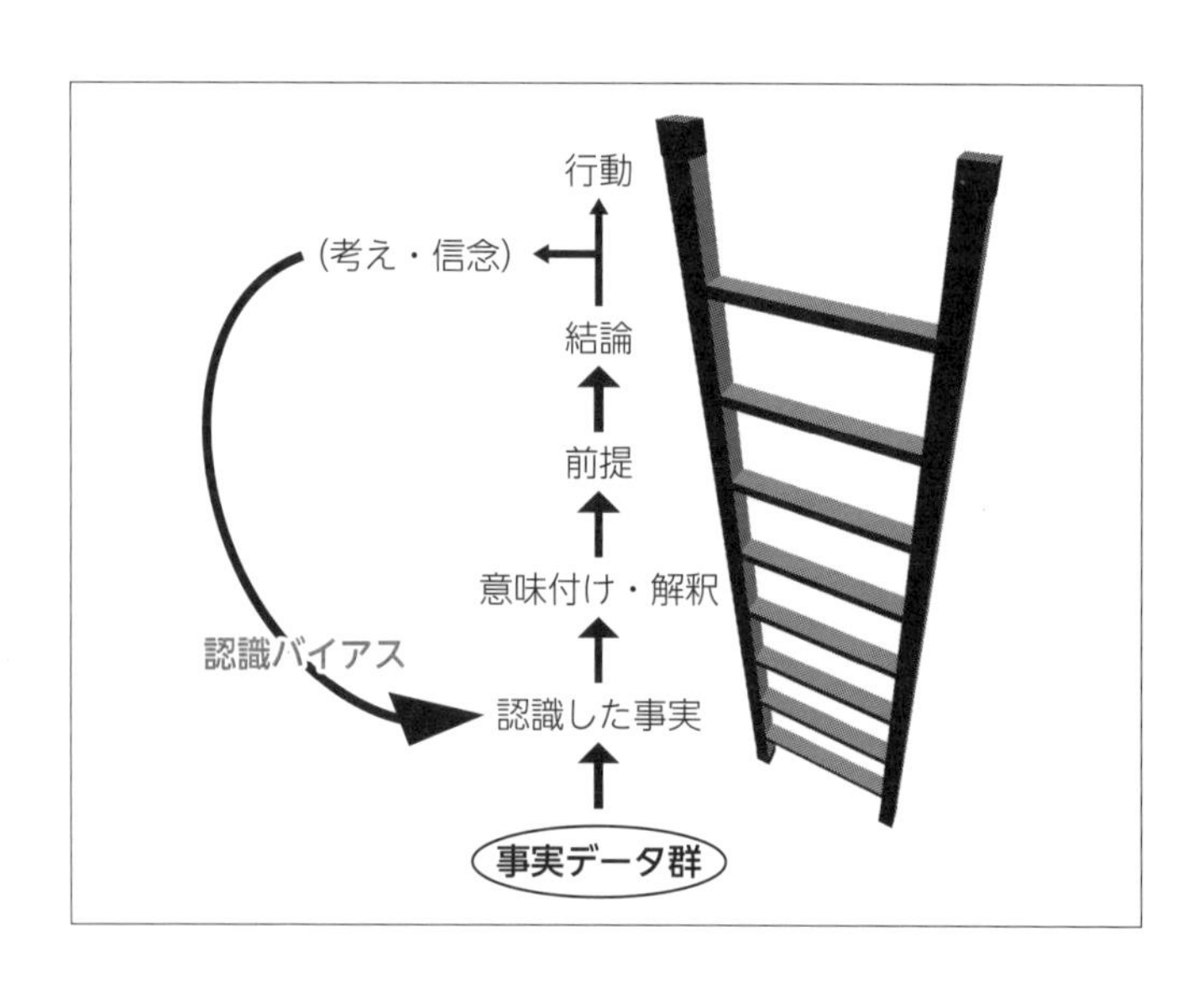

という事実でした。Aさんはその事実を「残業をしない彼は仕事熱心ではない」と解釈します。そして、「彼は仕事熱心ではないので、仕事ができないはずだ」と仮説を立て、「残業をしない彼は仕事ができないので、評価を下げるほうがよい」という結論を出します。そして、「査定を下げる」という行動をとりました。

他方、Bマネージャーは「残業することを大事ではない、価値はない」と思っています。そのBさんがピックアップした事実は、Aさんと同じく、勤怠管理情報から「この社員は残業をしていない」というものでした。Bさんは同時にその社員の成果を確認しました。そのうえで、「残業をせずに、成果が出ているのだから、彼は効率よく仕事している」と解釈します。そして、「彼は効率よく仕事をしているので、優秀だろう」という仮説を立てます。そして、その結論として、「彼は残業をせずに成果を出すので優秀だ。だから評価することが好ましい」と考えます。そうして、「査定を上げる」という行動をとりました。同じ現実を見ても、その人のメンタルモデルによって、真逆の結論と行動につながりうることがわかると思います。

さて、普段は自分でも気がつかないうちに駆け上ってしまう「推論のはしご」ですが、あえて意識しながら、ゆっくりと上ったり下りたりしてみることが、ネガティブ・ケイパビリティのトレーニングになります。

自分のこの行動はどんな結論から出たのかな？　その結論を導いた仮説はなんだったのかな？　その仮説のもととなったのは、何のどんな解釈だったのだろう？

そもそも自分は現実のたくさんある事実の中から、どれをピックアップしたのだろう？　その事実を自分はどう解釈し、どのような仮説を立て、どういう結論に達して、この行動を取ったのだろう？

このように、瞬く間に到達した結論をいったん、サスペンド（保留）し、意識してゆっくりと「推論のはしご」を上ったり下りたりしながら、自分の思考や推論の道筋を眺めてみるのです。こうして、「内省」の質を高めることができます。

最初は事後的にしかできませんが、慣れてくると、「あ、自分は推論のはしごを駆け上ろうとしている！　ちょっと待てよ。ほかにも事実や解釈はあるはずだ」と、リアルタイムで気づけるようになります。判断や結論をサスペンドし、自分の思考のプロセスを器に容れて眺め透かすかのように、吟味したり修正したりすることができるようになってきます（いつでもできる、というわけにはいかないのですが、無意識に駆け上がるのに比べると、ずっと良いです！）。

瞑想の時間をとる

あるがままを観察し、受け容れるという東洋の思想の実践の1つに瞑想があります。心を静めて無心になる、神に祈る、何かに心を集中させるなど、そのやり方やめざすところはさまざまですが、あとでも紹介するネガティブ・ケイパビリティの研究では、「瞑想や黙想を定期的に行っている人はネガティブ・ケイパビリティが高い」ことが示唆されています。瞑想はネガティブ・ケイパビリティを高めるトレーニングにもなるということです。

近年、「マインドフルネス」という言葉や実践が広がっています。これは「今この瞬間の体験に意図的に意識を向け、評価をせずに捕らわれのない状態で、ただ観ること」と説明されるもので、そのための瞑想エクササイズがいくつかあります。

最もよく知られているのは、椅子か、床やクッションの上に座り（もたれかからないこと）、目を閉じて、自分の呼吸に意識を向ける、というものです。自然な呼吸をしながら、鼻から息が入ったり出たりする感覚に注意を向けるのです。注意が呼吸からいつの間にか離れて、何かを考えていたり連想したりしている自分に気がつくこともよくあります。そのときには、注意が散ってしまった自分を責めたりするのではなく、「あ、注意がそれていたな」と受容的に気づいて、ただ注意を呼吸へ戻します。

私も実践することがありますが、いろいろな思考や連想に〝持って行かれることなく、その場に居続ける〟トレーニングは、ネガティブ・ケイパビリティの訓練としてもぴったりです。1日に5分でも10分でも、短い時間でよいので、やってみてもよいでしょう。定期的に実践していると、雑念が浮かんでもそのまま流すように、呼吸に向けた注意を維持できるようになると言われています。

「雑念が出てきたときの対処が難しい」という声もありますが、静坐インストラクタ協会の佐山氏の教えてくれる対処法は役に立つと思います。

目を閉じて、静かに深く呼吸を続けていると、やがて大脳のディスプレイ上に様々な妄想が湧いてきます。執拗な妄想を恐れて多くの人が静坐をやめてしまいます。やめる必要はありません。

コンピュータに入っているデータが多くなると、重くなって思うように応答しなくなるのと同じように、私たちの大脳にも無数の情報がインプットされています。不要な情報が多いため、大脳コンピュータの働きは鈍化し、ストレスが蓄積します。機会を見て大脳コンピュータの不要な情報を廃棄して、クリアな状態にすることが大事なのです。

静坐中に浮かんでくる様々な妄想は「この情報はどうしますか」という大脳コンピュータからの問いかけだと考え、「どうぞごみ箱に捨ててください」と指示すればよい。妄想が現れては消えるに任せておけば、やがて安静状態に落ち着いていきます。

これならあまり構えずにできそうですね！　佐山氏は「静坐は自分自身に対するボ

ランティア活動である」と考えることが大事だ、とも言われています。「何の見返りも期待せずに無心で座ることで、爽快感、癒やし、自然との一体感を楽しめる」と同時に、ネガティブ・ケイパビリティのトレーニングにもなっているのです。

バケート時間を自分にプレゼントする

休暇を意味する「バケーション」（vacation）という言葉の元になっているのは、バケート（vacate）という動詞で、「空っぽにする」という意味です。一方、「ビジネス」（business）という単語は、busy-ness（忙しさ）から来ているとも言われています。欧米人が何も予定せず、ただその場所や時間を楽しむバケーションを過ごすのに比べて、私たち日本人のバケーションは、「せっかくの休暇だから」と分刻みで予定を入れたりして、空っぽにするどころか、詰め込みすぎだったりしますよね。それでは、バケーションじゃなくて、ビジネスです！

自分の頭や心に、いろいろなものが詰まっていたら、なかなか新しい発想やアイディアも浮かばないでしょう。ときどき、空っぽにする時間（バケート時間）をとることも大事なのです。

そんなバケート時間を、半日でも1日でも、時々自分にプレゼントしましょう。ただぼーっと海を見ていたり、雲が動いていくようすを追ったり。分析したり計画したり行動したり、というポジティブ・ケイパビリティをお休みにする日です。こういう時間を「成長のためのバケーション」と呼ぶ研究者もいます。ふだんはスケジュールが詰まっていないと不安になるかもしれませんが、この日ばかりは、「忙しくなくてはいけない」、「ヒマな自分は価値がないということだ」という思い込みも脇に置いてみましょう。

ふだんは「それどころじゃない」とフタをしている自分の中のモヤモヤする気持ちにつきあってみてもよいかもしれません。それがサポートになりそうなら、「自分合宿」や内省を主体としたセミナー、瞑想の会などに参加してみるのもよいかもしれません。

ポジティブ・ケイパビリティをお休みにし、ネガティブ・ケイパビリティを発揮するトレーニングは、自分の中の気づいていなかった大事なことや、考えてもいなかったアイディアなどを呼び起こし、より深みのある人生を送る手助けとなってくれることと思います。人生１００年の時代です。急流に身を委せてあっという間に流れ下りるのではなく、「よどむ力」も大事な時代なのだと思うのです。

ネガティブ・ケイパビリティを道具箱の中に入れておく

日常の工夫や、ネガティブ・ケイパビリティのトレーニング法をいくつか紹介しましたが、「ネガティブ・ケイパビリティを道具箱の中に入れておく」ぐらいの感じがよいと思います。「ネガティブ・ケイパビリティが大事」といっても、四六時中ネガティブ・ケイパビリティを発揮していることは現実的でもないし、その必要もありません。

大事なことは、**「必要な時には使える」スキルにしておく**こと。プロのカウンセラーが、いつも傾聴しているわけではないけれど、必要な時には「傾聴」に切り替えられるのと同じです。ポジティブ・ケイパビリティだけよりも、ポジティブ・ケイパビリティもネガティブ・ケイパビリティも両方使えた方がずっと良いですから！

ネガティブ・ケイパビリティには「**ミラーリング**」しやすいという特徴があります。人は、相手がじっくり聴いてくれるときには、自分もじっくり聴こうとします。相手が乱雑に会話を断ち切るときには、自分も同じように乱暴な態度になりがちです。つまり、伝染するのです。

あなたが、部下や友人、子どもなどに対して、じっくり聴き取る、じっくり待つ、というネガティブ・ケイパビリティを示すことで、相手もそういうことができるようになります。そうしてもよいのだ、とメッセージが伝わるのです。そうして、相手のネガティブ・ケイパビリティをはぐくむことにつながるのです。

第6章

「何もしない」ことの大切さ

～人を育てる～

前章では、主に自分自身に話の焦点を当てて、「ネガティブ・ケイパビリティ」の重要さとそのはぐくみ方について考えてきました。ここからは、焦点を他者に移して、「ネガティブ・ケイパビリティ」について考えていきます。

ここまでの章でも、「相談」や「傾聴」について触れてきましたが、本章ではより視野を広げて、「人を育てる」というテーマについて考えたいと思います。

私たちにとって、自分自身を高めたり、よりよく仕事ができるようにスキルや能力を身につけたり、自分自身が頑張ることは言うまでもなく大事なことです。そして、それと同時に、他の人々、特に次の世代を託す若者や子どもたちが大事な力をつける手助けをすることも、私たちの大事な責務です。どのように「人を育て」ていくかが重要なテーマなのです。

そこで、この章では、まずわかりやすく「子どもを育てる」を例にとってみます。「子どものネガティブ・ケイパビリティ」は、子育て世代の方々はもちろん、教育現場にとっても重要なテーマです。そして、ビジネスシーンにおいても、「人を育てる」＝人材育成にとっての重要なエッセンスを見いだしていただけるはずです。

子どもたちは生来ネガティブ・ケイパビリティの持ち主

大学院でカウンセリングを勉強していたころ、定期的に保育園に通って、保育の現場を見学させてもらったり、子どもたちと一緒に遊んだりしていました。私は特に子どもたちの描く絵を見ては、いつも「すごいなあ！」と驚嘆していました。

子どもたちは、見たまま、感じたままを描くのでしょう。大人にはわからないものや、客観的には「ちょっと違うんじゃないかな」と思うような物体を描いたりします。それはそのまま、その子の世界なのだ、と大事に受けとめていたのですが、ビオンの言葉を借りると、絵を描いているとき、子どもには、「記憶も理解も欲望もない」のでしょう。「これはこういうものだ」という記憶も理解も、「うまく描いて大人に褒められたい」という欲望もなく、感じたことを素直にそのまま描いているのでしょう。

時間を忘れて興味のあることに熱中したり、スポーツでも何でも、できないからとすぐに諦めるのではなく、何度も何度も繰り返し練習して、できなかったことができるまで頑張ったり。子どもたちは教えられなくても「やり続ける力」、「諦めない忍耐力」を持っているのだなあと思います。

それが、大人になるにつれ、世の中のペースや物事の進め方に順応し、ネガティブ・ケイパビリティを失ってしまうように思えます。パブロ・ピカソは「子供は誰でも芸術家だ。問題は、大人になっても芸術家でいられるかどうかだ」と言ったとか。これは「ネガティブ・ケイパビリティ」にも当てはめることができます。子どもたちのネガティブ・ケイパビリティを損なわず、支え、はぐくむことについて考えることは、特にこれから先の見えない時代へ世代をつなぐ者にとっての大事な責務ではないでしょうか。

しなやかに立ち直る力・レジリエンスを支えるネガティブ・ケイパビリティ

すぐに答えが出なくても耐え続ける力であるネガティブ・ケイパビリティは、何かあってもしなやかに立ち直る力である「**レジリエンス**」の構成要素の１つでもあります。

近年、傷つきやすい、心が折れやすい、忍耐力が乏しいといった傾向をもつ生徒が増えていると言われています。日本では「褒めて育てる」、「叱らない教育」が１９９０年代あたりから急速に広がったのですが、子どもたちが傷つかないようにといった配慮が強まってから、逆に、傷つきやすい子どもや若者が増えたのではないかと考える有識者もいます。

言うまでもなく、生きている限り、自分の思い通りにならないことが必ず起こります。世の中のペースが加速し、ディスラプティブ（破壊的な）イノベーションや状況の変動が日常茶飯事となり、これまでにもまして、「平穏無事が続く」ことが期待できなくなっています。

そんな中、何が起こっても、そこでつぶれてしまって立ち直れなくなるのではなく、たくましくしなやかに人生の荒波を乗り越えていける力＝レジリエンスを養うことは、親や大人が子どもに与えられる最高の力ではないかと思うのです。

レジリエンスについては、以前『レジリエンスとは何か：何があっても折れないこころ、暮らし、地域、社会をつくる』を書いて、詳しい説明のほか、組織や地域、災害や温暖化に加えて、子どものレジリエンスについて内外の取り組みについて紹介しました。「折れない子どもをはぐくむ学校〜レジリエンスを高める教育」、「折れない子どもを育てる〜家庭で高めるレジリエンス」という章を設けています。

その中で取り上げた、日本の研究者や教員などのグループによる「子どもの心の力を育てる」プログラムの中心メンバーに、上島博氏（子どものレジリエンス研究会代表）がいます。彼の『イラスト版子どものレジリエンス：元気、しなやか、へこたれない心を育てる56のワーク』や子どものレジリエンス研究会の出している『レジリエンス実践・教材集』には、子どものレジリエンスを育てるワークがたくさん載っています。その中には、ネガティブ・ケイパビリティを鍛えるために役立つものもいくつもあります。考え方を含め、いくつか紹介しましょう。

まず、「レジリエンスを支える３つの力」として、

①元気！：体も心も元気で、明るく生きる心の力
②しなやか：大嵐でも、ぼきりと折れてしまわない、やわらかな心の力
③へこたれない：困ったことがあって落ちこんでも、立ち直ることができる心の力

を挙げています。

「①元気！：体も心も元気で、明るく生きる心の力」をつくり出すものとして、「体の元気・生活習慣」、「明るい心・ユーモア」、「自信」、「自尊感情」、「落ち着いた気持ち」、「豊富な直接体験」とともに、ネガティブ・ケイパビリティにつながる「忍耐力」（がまんする力、ねばり強い心をもつ）があります。

「忍耐力をきたえるヒント」として、「おやつの前トレーニング」と「運動習慣をつける」が挙げられています。「学校から帰ってすぐにおやつを食べるのではなく、その前に宿題などひと仕事してみよう」、「何かひとつ運動の習慣をつけ、苦しくなって

からもうひとがんばりしよう」と、子どもたちに具体的な鍛え方を教えています。

また、「②しなやか：大嵐でも、ぼきりと折れてしまわない、やわらかな心の力」をつくり出すものとして、「楽観性・プラス思考」、「自分力」、「感謝する力」、「コミュニケーション」、「つながる力」、「ストレス対処技術」とともに、「柔軟性」（変化に対応し、曖昧さを受け入れる）が挙げられています。「曖昧さを受け入れる」＝ネガティブ・ケイパビリティです！

こちらのトレーニングとして、「白と黒のあいだを見つけよう」として、白か黒か、という対立する2つの考え方の中間の考え方を見つける練習が載っています（大人にも役に立ちそうなトレーニングで

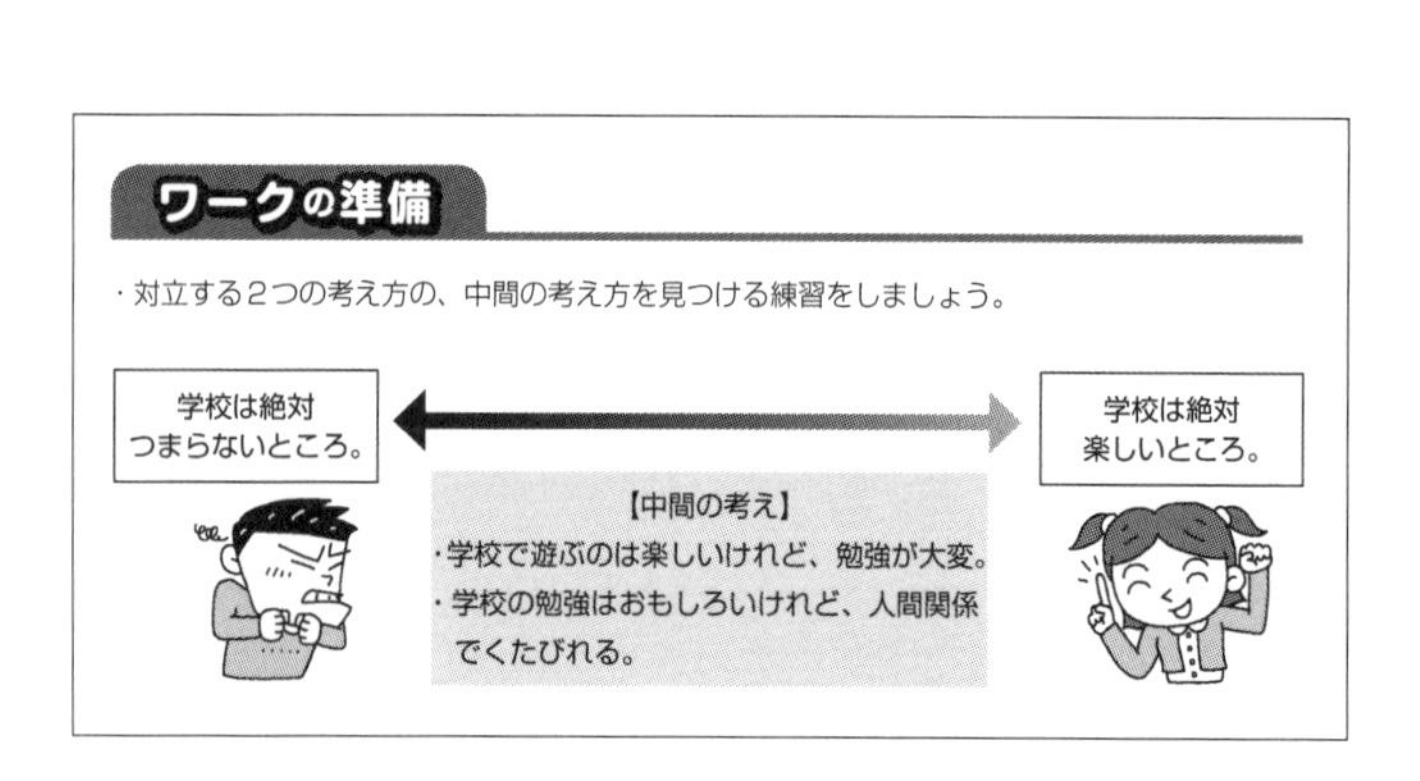

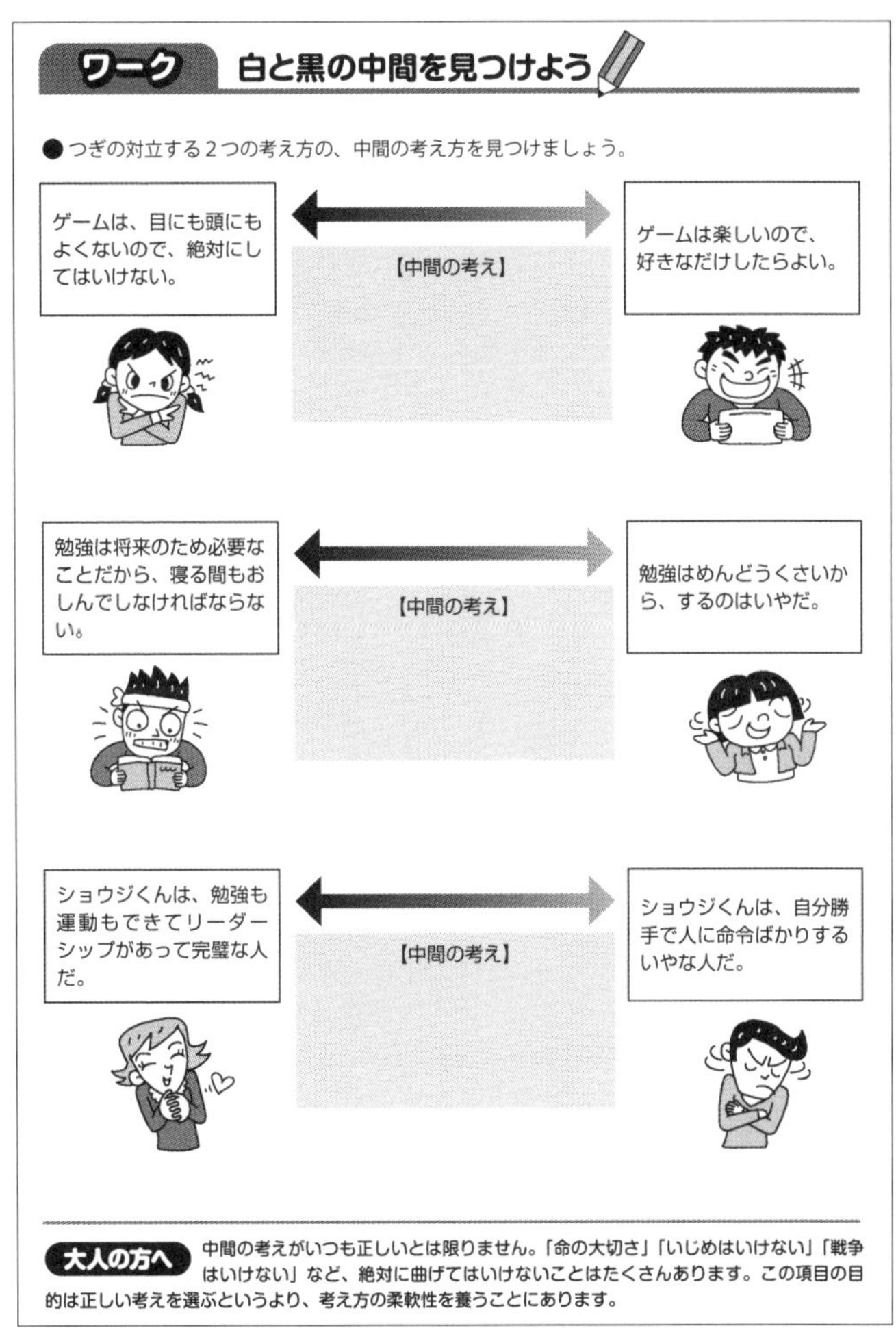

（出典：上島博『イラスト版子どものレジリエンス：元気、しなやか、へこたれない心を育てる56のワーク』合同出版©タカダカズヤ）

す！）

大人ができること、すべきことは、子どもが生来持っているネガティブ・ケイパビリティを、大人の都合で急かしたり押しつぶしたりせずに、大事に見守ること。そして、がまんする力をはぐくみ、白黒つけて終わりにせずに、その中間にある考え方に思いを馳せる力を育てるような問いかけや働きかけを意識すること。そして、何より、子どもを待つ力（ネガティブ・ケイパビリティ）を大人自身が身につけることが肝要なのだと思います。

子どものネガティブ・ケイパビリティをダメにしないために、親と保育者にネガティブ・ケイパビリティが必要

大人が子どもに対してしょっちゅう口にする言葉が、「早く」ではないでしょうか。「そんなことしてないで、早く○○しなさい！」と。もちろん、時間の制約の中で物

事を進めていくことも大事ですが、「そんなことしてないで」、「早くしなさい」という大人の常套句は、子どもたちに「ネガティブ・ケイパビリティを発揮するな」と言っているようです。

「迷ってないで、早く決めなさい！」、「ぐずぐずしてないで、早く来なさい！」――もしかしたら、その子はネガティブ・ケイパビリティを発揮して、すぐに判断・決断するのではなく、いろいろな可能性（何を食べようか、どの靴を履こうかなど）を探っていたのかもしれません。

今の世の中は、スピードが大事で、「効率」がKPI（重要な指標）であることが多い。効率とは、時間あたりのアウトプット量で測られることも多いですから、やはり「時間の効率的な利用」が重視されるのです。コスパならぬ「タイパ」（タイムパフォーマンス）の時代です。そういう世の中では、大人であっても子どもであっても、ためらったり逡巡したりすることは価値がない、価値を損なうものと見なされてしまいます。

でも、見た目の効率は悪いかもしれないけど、ためらったり逡巡したりする時間は、人生の機微に触れる、豊かで幸せなものなのかもしれません。いろいろ迷うからこそ、最終的に選んだものを心から大事にすることができる。ためらって、頭の中で行ったり来たりを繰り返した結果の言葉だからこそ、相手の心に深く届く。

大人になって世の中に出れば、否が応でも効率性の論理に巻き込まることは避けられません。効率性の希求と「答えを急がない」ことの間の矛盾と戦うことになりますが、子どもの時代はまだそうした矛盾に巻き込まれているわけではありません。本来ならば、子どもの時代こそ、ネガティブ・ケイパビリティを存分にはぐくむことのできる時期なのです。

しかし、現実には、ますます忙しく時間に追われるようになっている親や保育者といった大人は、以前にも増して「早く、早く」を連発し、子どもたちに迷う時間はもちろん、自分で考える時間すら与えられなくなっているようです。

子どもには、自分であれこれ試してみたり、自分で考えてやってみる経験が重要なのですが、そうとわかっていても、つい「早くしなさい！」と急かしてしまって、待つことができない。「これにしなさい」と大人が子どもの代わりに選んだり、決めてしまったりしてしまう。大人側の「時間がない」事情や「効率重視」のせいで、子どもたちのいろいろ考える力や、迷いながら自分で選ぶ力、自分で考えて選んだ結果を自分で受け入れる力などを育てることができなくなっているのかもしれません。子どもの成長よりも、大人の都合ややりやすさを優先しているのです。

第1章にも登場いただいた臨床心理学者の河合隼雄氏は、『Q&Aこころの子育て』という本のなかで、「親が子どもに何か言いたくなったときに、五秒待つ。「早くしなさいっ!」「それはダメッ!」と子どもに言うのを、とにかくひと息待つこと」とアドバイスしています。「ああしろ、こうしろ」と指導・指示する方がずっとラクです。待つのにはエネルギーが必要だからこそ、「5秒ルール」が大人と子どものネガティブ・ケイパビリティにつながります。

かつて、来日したスウェーデンの保育士さんたちが日本の保育園を訪問するときに同行した際、非常に印象的だったため今でもよく覚えている場面があります。園児と保育士のようすを見学していたスウェーデンの保育士さんが、

「どうして、保育士が『散歩に行くから、コートを着なさい』というのでしょう?」

と首をかしげたのです。

「今日は気温が低いですから、子どもたちが風邪を引かないように」

と日本人の保育士さんが答えると、

「私たちは、コートを着るかどうか、保育士が指示することはないですね。子どもによっても暑い寒いは違いますし。寒いかもしれないからコートを着ていこうと自分で考えた子は着ていくし、いらないと思った子は着ていかない。結果的に寒くて風邪を引いたら、次からは寒くならないよう、自分で考えたり工夫したりするでしょう。そうやって自分で考え、決め、結果を見て学ぶことのほうが大事ではありませんか?」

どう思いますか?

河合氏は心理学者として、子どもの心が出来上がっていく過程を発酵に例えています。


こころができあがっていく、というのは大変なことで、まあ、お味噌とかお酒とかが発酵するみたいなものです。そのとき表にあらわれてくるものは、とてもあいまいでボーッとしている。子どもには、そういうボーッとしている時間が必要なんです。それを「何ボーッとしているの！」なんて、子どもから全部取ってしまうことはありません。お酒を作るには、麹でじわじわじわじわ発酵させなきゃならない。それなのにアルコール成分をパーッと注ぐみたいなことをして、「できました！」とか言ってたら、味もそっけもないものになってしまうのは当たり前でしょう？　それと同じことなんです。

瞬間発酵というのはあり得ないですよね。微生物がちゃんと役割を果たせるように、その時間を待つこと。子どもの心の育成のためにも、その〝発酵〟に必要な時間をちゃんと待ってあげること。子どもたちのネガティブ・ケイパビリティをはぐくむためには、大人がネガティブ・ケイパビリティを身につけなくては、ですね！

「育てる」のではなく、「育つ」のを「待つ」姿勢

もう1つ、ネガティブ・ケイパビリティに関連して、子育てや教育にとってとても大事な視点に触れたいと思います。「子育て」なのか、「子育ち」なのか？ という視点です。

「もともと動詞のデベロップ（develop）は、たとえば「つぼみが花になる」とか「種が発芽する」とか、「子どもが大人になる」とかのように、おもに生きものの成長過程でもともと内にあった可能性がおのずから発現するという意味で使われていた」と言うのは、文化人類学者・環境活動家の辻信一氏です。

ところが、戦後アメリカでは、もともと自動詞だったデベロップという言葉を、「……を発展させる」「……を開発する」と、他動詞として使うようになりました。辻氏は政治学者のダグラス・ラミス氏の言葉を引用して、「つまり、それまで内発的なプロセスだった「発展」が、外から人為的に、政策的に、時には強制的に引き起こさ

れる「発展」へと変質させられた」と述べています。それ以来、「開発する」や「発展させる」という他動詞的な意味でのデベロップメントが世界中の多くの人々の心をとらえてきました。

こういった経緯を背景に、辻氏は、「育てる」か「育つ」か、「治す」か「治る」か、というように、他動詞と自動詞の違いを意識することが大事だと述べます。

「花が咲く」というのは、花が自分の力とタイミングで咲くのを待つ、ということであり、「花を咲かせる」というのは、花のタイミングではなく、こちら側のタイミングでその場で「させる」というイメージです。自動詞には「待つこと」、つまり、ネガティブ・ケイパビリティが必要だ、とも言えそうです。

辻氏は、医療についても、「治る」という現象が起こっていくけれども、その力がなかなか働きにくい時に、専門家が援助し、補完することを「治療」と言うのだとして、本来自動詞（治る）が主役で、他動詞（治す）が補完的な役割だったのが今では本末転倒してしまっていると述べます。

そして、教育でも同じことが起きていると警鐘を鳴らします。

社会はこれまで、子どもがぶつかるかもしれない問題を迂回し、あるいは先回りするようにして、プログラムやマニュアルをつくり、与えてきた。そしてそれが効率的な教育だと多くの大人たちが考えてきた。しかし、効率性とか便利さというものは、じつは子どもから失敗するチャンスを奪うことを意味する。子どもたちは失敗を通じて学ぶもの。失敗こそが学びの機会。その機会を大人たちは奪ってきたわけだ。

子どもたちが手間ひまをかけて試行錯誤するのを、辛抱強く待っていてあげることが、もう大人たちにはできなくなっているのかもしれない。（中略）生きものは「成長させる」のではない、「成長する」のだ。「大きくする」のではない、「大きくなる」のだ。子どもは「育てる」のではない、「育つ」のだ。病は「治す」のではない、「治る」のだ。

だからといって、もちろん、農、教育、医療という人間の営みが、不要になるということではない。もう一度、「なる」という原点に戻った上で、自分たちが何を「する」べきなのかを、考え直そうというのだ。

「待つ」、「見守る」、「耳を傾ける」といったネガティブ・ケイパビリティをもって、「なる（成長する、育つ、治る）」を原点とし、そのうえで、何を「する」か、というポジティブ・ケイパビリティを発揮するのが筋だ、ということです。

「助長」という言葉を思い出します。中国古典の『孟子』に出てくる話なのですが、戦国時代の中国の宋という国に、自分の畑の苗がなかなか成長しないのを心配して、苗を引っ張って伸ばそうとした人がいました。作業を終えて家に帰って、「今日は疲れた。苗を助けて長くしてやったよ」というので、びっくりした子どもが畑に行ったところ、苗は枯れてしまっていたという話です。ここから「成長を手助けするつもりで、かえって損なうこと」を「助長」というようになりました。

子育て（子育ち？）や教育の場面で、「助長」してかえって子どもの成長や発達をだめにしてしまわないよう、ポジティブ・ケイパビリティ偏重をやめて、ネガティブ・ケイパビリティを発揮する余地を保つことは本当に大事です。

なお、ポジティブ・ケイパビリティの育成・評価が一義的な目的となっているような日本の教育界の中でも、あえて、ネガティブ・ケイパビリティを育成するための時間をとっている学校もあります。

2021年に創立100周年を迎えた自由学園は、「思想しつつ　生活しつつ　祈りつつ」、「よく教育するとはよく生活させること」という理念のもと、人間教育を実践している学校で、「24時間の生活すべてが学びの場である」としています。

さまざまなユニークな教育プログラムを展開している自由学園には、毎週「懇談」の時間があります。懇談は、良い生活を作り出すために、クラス全員で考えを出し合う週1回の大切な時間で、生活から生じる様々なこと、友達との交わりの中で起きたことなどを、真摯な気持ちで話し合います。日常生活でも深く思索する姿勢を身につけることを目的としており、教師ではなく、生徒たちが自分たちで話し合いを進めます。

この「懇談」では、多数決で物事を決めたり、結論を出したりすることなく、生徒たちが自分たちの課題や問題を取り上げ、クラス全員でとことん話し合うのです。当然ながら、一人ひとり考え方も、これまでの経験も違います。意見の違う人たちとどのように話し合えばよいのか、自分の考えをどう伝えれば伝わるのか、相手の考えを真に理解するとはどういうことなのか――「結論」や「判断」を棚上げして、とことん話し合います。カリキュラムで設定された時間枠を超えて、何時間も話し合いが続くこともあります。教師は、必要な時間をとり、口出しすることなく、生徒たちの話し合いを見守ります。それぞれが自分の中にある不確かさや不安、相手やクラス全体の「わからなさ」を否定したり無視したりすることなく、しっかり向きあうトレーニングなのです。

自由学園を卒業した知り合いの若い人が、「この懇談こそ、自由学園での教育の大事な時間だった」と言います。テーマによっては、泣きながら話し合いを続けたこともあるとのこと。「最初はよくわからなくても、自分と意見が全然違っていても、焦らずにじっくりゆっくりと話し合いながら、お互いの思いや考えの背景にあるものを共有していくことで、お互いにより深く理解できるようになる」経験は、今の〝高速教育〟の中では貴重なネガティブ・ケイパビリティ育成の機会だったのだろうと思います。

ビジネスシーンにおける「人材育成」とネガティブ・ケイパビリティ

すでに大人になった人への教育や働きかけは、子育てとは違った難しさが伴います。人生経験を積んでいることで、多かれ少なかれ「先入観」や「固定観念」に縛られているからです。

しかし、それでも変えていくことはできます。これまでの章で、自分だけの考え方だけでなく、他の可能性に気づいて多面的に物事を捉えるためのこころの在り方やトレーニング法について、説明してきました。新人社員や若手人材にも、そうしたことを理解し、実践してもらえるように働きかける。そして、育成する側も、ネガティブ・ケイパビリティを可能な限り発揮して、彼らに向き合っていけばよいのです。

育成する側のネガティブ・ケイパビリティが高ければ、育成を受ける側も安心して、「鎧を脱ぐ」ことができます。固定観念や「〜べき」から自由になっても良いのだ、という雰囲気が生まれます。

次章以降に紹介する「ネガティブチーム」など、メンバー全員がネガティブ・ケイパビリティを発揮しやすくするための組織上のしくみや、「場」をつくることも役に立つでしょう。

人材育成についてのノウハウや実践方法は数多くありますが、「これが正解だ」という唯一無二の方法は存在しません。それぞれの状況ごとに、相手も違えば、求めるものも違いますから、様々な葛藤があることでしょう。その不安や居心地の悪さから逃げようと、決まったやり方を押しつけても、「やっている感」はあっても、結局、効果も信頼も学びも何も生まれません。

育成する側が育成される側を牛耳る・コントロールする、という考え方を捨て、互いに異なる考えや思いをまずは受け止めること。目標を共有して、より質の高い可能性を探し、お互いがともにはぐくみあう関係性を築きたいものです。

第7章

「わからない」と正しく向き合う

～リーダーシップとチームや組織の中で～

今日の状況

高速化・複雑化するビジネス環境

今日の組織は、不安定で、不確実で、複雑で、曖昧な環境の中にあります。かつては、リーダーやマネージャーの仕事を「情報」が助けてくれたものですが、今では、すさまじいスピードで際限なく広がる「情報の海」に溺れそうです。先のよく見えない混沌とした、しかし、高速で激動する環境下で、厳しい競争状況に置かれている組織やそのメンバー……。

このような状況で何とか成果を出すためには、状況を制御すること、つまり、「コントロール」が規定の行動様式となりがちです。「柔軟性」、「身軽さ」、「敏捷性」、「スピード」などが競争優位の源泉と見なされ、迅速な行動と断固たる決断を下すことに価値があるとされます。

そのような状況では、答えがすぐに見つからないような、または答えがあるかどうかわからないような難しい問いには、目をつぶって「なかった」ことにしたほうがラクです。先まで考える余裕もないため、目の前のことしか考えられず、「あれ、これでいいのかな?」、「ほかにも考えるべきことがあるのでは?」という疑問や迷いが出てきても、「それどころじゃない!」とすぐに押し殺し、「何だか腑に落ちないぞ」という心の声にもフタをします。立ち止まってじっくり探究したり、工夫を重ねて(失敗から学びながら)改善していくこともできません。この硬直化した構造はどんどんと悪化していきます。これを「自己強化型の愚かさ」と呼ぶ研究者もいるほどです。

今日の世界が複雑性を増しているのはだれもが認めるところですが、イノベーションのための変革理論として知られる『U理論』をつくり出したオットー・シャーマーは、「今日、組織や団体のリーダーが直面しているのは、これまでとは違うレベルの複雑性と変化だ」と言います。それは、「ダイナミックな複雑性」、「社会的複雑性」、そして「出現する複雑性」です。

「ダイナミックな複雑性」(Dynamic complexity)とは、多様な原因と結果が時間的・

空間的にも絡み合って作り出される複雑性です。

原因と結果が単純に1本の矢印でつながっているだけであれば、一つひとつ問題をクリアしていけばよいのですが、ダイナミックな複雑性の場合は、システムの要素がお互いに影響を与え合うため、予期せぬ変化や「想定外」の状況が生じます。

このような複雑性に対しては、先ほど紹介した「システム思考」のアプローチで、システムの要素間のつながりをしっかりと考えることが必要です。

「社会的複雑性」(Social complexity)とは、多様なステークホルダーがさまざまな利害や経緯、メンタルモデル(思い込みや意識・無意識の前提)を持ち込むために複雑さが生じている状況です。

気候変動をはじめとする地球環境問題に対して、先進国や途上国の足並みが揃わないのも、再生可能エネルギーを増やす必要性はわかっていても、各地で大規模ソーラーや風力発電、地熱発電などに対する反対運動が起こっているのも、この社会的複雑性のなせるわざと考えることができます。

この2つだけでも十分にフクザツなのですが、その上に考えなくてはならないのが、

「出現する複雑性」（Emerging complexity）です。これは、予測がほとんどできない変化がもたらす複雑性です。

非連続的な変化が出現しているが、問題の全貌がまだ明らかになっておらず、問題の解決方法がわかっていないだけでなく、今、誰が主要な利害関係者なのかもよくわからないといった状況です。

このように複雑性の難易度は高まってきているのに、組織のあり方は、多くの場合、対応が遅れています。たとえば、多くの組織が今でも、製品別・機能別といったタテ割りの組織構造のままです。

この構造は、製品やサービスの提供を最大化することを目標とし、自分たちが十分にわかっている、変化の少ない環境ではうまく機能します。しかし、現在の問題の多くは、既存の組織構造を超えて対処する必要があります。多くの場合、組織内の壁だけでなく、組織と組織の外との間の壁も超えていく必要があるのですが、そのようなコミュニケーションや連携、共創のしくみも経験もほとんどありません。

このような状況で、担当者やマネージャー、リーダーたちは、極めて不確実で不安定な状況に巻き込まれていることになります。コントロールしようとしてもできるものではありません。「どうしたらよいのかわからない」と途方に暮れたり、自信を失ったりするかもしれません。「尻込みしていても仕方ない、早く何とかしなくては」と焦ってしまい、じっくり考えて気づきや解決への手がかりを待つことなく、無謀に混沌の中に飛び込むリーダーもいることでしょう。

本当なら、様々なステークホルダーの考え、意識・無意識の前提、意図や感情、そして言葉で語られていないことまで、じっくりと耳を傾け、理解し、折り合いをつけながら、洞察に基づいた行動をとる必要があります。しかし、「とにかくすぐに行動!」、「スピード第一!」というかけ声や組織風土のため、時間をとることも振り返りしながら進んでいくことも、ほとんど許されないのが現状ではないでしょうか。

期待されているリーダーシップ

もう1つ、こういった複雑な状況への本質的な対応を阻んでいるのが、リーダーシップにおけるポジティブ・ケイパビリティの偏重です。「はじめに」でも触れたように、ポジティブ・ケイパビリティとは、「計画を立てる」、「分析する」、「スピーチをする」といった問題解決能力です。

リーダーシップ教育や研修のテーマを見てみてください。その多くは、このようなポジティブ・ケイパビリティを育成しようとするものではないでしょうか。経営におけるネガティブ・ケイパビリティを研究しているスネーサ・サグルチーとムニシュ・タクルは、「ビジネススクールでは、潜在能力や可能性を内省するのではなく、問題解決のテクニック、意思決定、コンセプト、コントロールに焦点が当てられるが、これらはすべて直線型の思考を促すものだ」と述べています。

教育・研修だけでなく、評価も同じです。ほとんどの企業や組織では、「行動する」、「介入する」、「意思決定する」といったポジティブ・ケイパビリティに関わる行動が高く評価されます。「待つ」、「じっと観察する」、「耳を傾ける」、「想像する」、「謙虚でいる」、「相手に合わせる」、「辛抱する」といったネガティブ・ケイパビリティに関わる行動は、たとえそれが重要な場面であったとしても、評価の対象にはならないことがほとんどでしょう。

「即時満足、即時回答」が求められる社会では、リーダーは、最も効率的に、決められた時間内に物事を成し遂げることを期待されます。リーダーとなる人には、的確に状況と問題を理解し、迅速に決断して行動できる人、つまり、ポジティブ・ケイパビリティの高さが期待されているのです。リーダーに対する、「すべて知っていること」、「正しい判断や決断ができること」への期待とプレッシャーは大変強いものがあります。

ポジティブ・ケイパビリティ重視の世界では、「知らないこと」、「動かないこと」は受け入れがたいだけでなく、恥ずべきこととなります。そのため、誰もが「知っているべき」、「わかっているべき」という暗黙の了解がはびこってしまいます。誰もが「私はわかっている」というポーズを取ったり、表面を取り繕って「知らない自分」、「わかっていない自分」を出さないようにします。みながそうすることで、「本当は誰もわかっていないこと」にフタがされたまま、重要な判断や決断が下されてしまうのです。

アマンダ・ヘイが英国のさまざまな役職や分野の35人のマネージャーにインタビューした研究がありますが、このインタビューでも「マネージャーは何でもよく知っているはずだ」という期待に応えることがいちばん大変だという声が多くありました。「マネージャーはコントロールができる人であり、常に正しい」、「すぐに結果を出さなくてはならない」というプレッシャーも強い。「わからない」ということは自分でも受け入れがたく、それがゆえに、「助けを求めること」もできずにいる状況も明らかになりました。

「知らない」、「わからない」、「もう少し考えてみたい」と言うことは（まわりにも自分にも）許されないこのような状況では、ポジティブ・ケイパビリティを総動員して、すばやく目の前のタスクを「理解」し、「判断」して、「処理」することになるでしょう。それが本質的な解決策でないとしても！

立ち止まれず、走り続けるリーダーたち

私は大学院大学至善館という社会人向けMBAコースで、「システム思考と持続可能性への挑戦」という授業を担当しています。企業・組織の将来の経営者・リーダー候補者、起業家、市民セクターのリーダーなど、世界数十カ国からの学生が英語クラスと日本語クラス（各40人）で学び、切磋琢磨しながら成長していく2年間のプログラムです。

担当している授業で、ネガティブ・ケイパビリティについても紹介したときに受け取った学生からのコメントをいくつか紹介しましょう。

○問題解決を試みる際に、認知しやすい現象としての問題の解決に飛びつくのではなく、踏みとどまって原因としての問題がどこにあるのかを考える必要がある。答えや原因が明確でない状態で考え続けることは非常に負荷がかかるが、それに耐えるネガティブ・ケイパビリティをもつことが大切である。

踏みとどまっている出来事（問題）の時系列パターンと構造、メンタル・モデルまでを紐解くことで、その出来事の根本を理解して解決に向かうことが可能になることを学んだ。

○「ちょっと待てよ」のシステム思考という言葉が印象に残っている。業務上、問題に対する対策については特にスピードを求められるため、判断のスピードを重視していた。しかし、たしかに根本解決がおろそかになったケースがいくつかあった。システムの構造を理解したうえで対策を講じる癖をつけていきたい。

○「ネガティブ・ケイパビリティ」という言葉を初めて聞いて、この能力が自分には本当に足りないことを実感した。今まで課題や問題があれば、いかに早く、多くの解決策を上司に提示し、それを叩き台に議論するか、つまり「ポジティブ・ケイパビリティ」が一番重要であり、必要なものだと考えていた。しかし、それは答えのないわからない事に対して、自分が深く検討しないまま案を提示していることだと気が付いた。時間がなくなっていく焦り、不安を噛みしめながら冷静に判断する事が自分にとって不足している能力だと実感した。

○自社組織における「ネガティブ・ケイパビリティ」の低さについて、同僚とディスカッションをしてみた。自社の経営における問題は山積みである。利益率の低さ、競争優位性の欠如、長時間労働、ダイバーシティの低さ、働きがいとやりがい、エンゲージメントの低下、退職者の増加など。経営における実行スピードが何よりも生命線の業界であり、「拙速でも行動することが是」とする文化もあるため、深く熟考せずに対症療法をひたすら繰り返していると感じる部分が多々出てきた。直線的な関係における対症療法を行うことで、ひとまずは安心ができ、先送りの意思決定をしてきたのではないか。その積み重ねで、長年解決されてない問題を抱えている。特に、「システムの時間的遅れ」について、組織としてなかなか辛抱ができない。事象が良くならないと、また矢継ぎ早に次の打ち手に移ってしまい、余計に事態を悪化させることもあったかもしれない。ネガティブ・ケイパビリティの低さといえる。ネガティブ・ケイパビリティの向上のためには、「この概念の存在を知り、耐え続ける態度を持つこと」ということもディスカッションの中で学んだ。意思決定と行動を意図的に保留することも試行していきたい。

コメントからも、企業・組織で働く人々、特にリーダーシップを期待されている人々は、決定と判断のスピードが求められていること、そのなかで立ち止まることができずに走り続けている状況であることが垣間見えます。それで本当に大丈夫なのでしょうか……？　そういう環境下で、それでもネガティブ・ケイパビリティを持っているリーダーとはどのような人なのでしょうか。

ネガティブ・ケイパビリティの高いリーダーとは

完璧ではないことを受け容れている

ＶＵＣＡの時代に必要なリーダーシップとは、あらゆる不確実性に対処し、その中で効果を発揮することです。リーダーが取り組む問題は、多くの場合「厄介な問題」です。すなわち、簡単には取り除けず、かつ曖昧であるがゆえに、断固として正確に確実に解決することができない問題なのです。

このような「1つの正解がある」わけではないタイプの問題に必要なのは、「**完璧ではないが、より質の高い解決策**」です。ある意味、「不器用な解決策」です。ネガティブ・ケイパビリティを有するリーダーは、解決策が完璧ではないこと、自分はすべてをわかっているわけではないことをまず認識し、許容しています。

「リーダー」、「リーダーシップ」のleadという言葉の語源は「leith」です。

その文字通りの意味は、「敷居を越える」こと。つまり、「知っている」、「わかっている」という安全領域の敷居を越えて、「わかっていない」領域への最初の一歩を踏み出すことができる人のことなのです。

これができない人は、不安であるがために、過去の経験などから既知の（実際は最適とはいえない）結論や判断に早々と手を出してしまうこともしばしばです。結果的に何も解決できなかったり、事態をさらに悪化させることも珍しくありません。

ネガティブ・ケイパビリティのあるリーダーならば、こういった事態を避けることができます。予測不能な厄介事をまず受け容れ、過去の「成功の型」に固執せず、最終的な結果に対する判断を保留します。そして、「わからない」、「知らない」新しい領域への可能性を模索し、より本質的な解決策や、新たなチャンスの発見へとつなげるのです。

また、リーダーが「知らない」ことを認め、対話や共有の探求を促すとき、自分の不確実性に対峙するだけでなく、他の人々がそれぞれ不確実性に直面することのお手本となり、そのプロセスを助けることにもなります。リーダーが自身のネガティブ・

ケイパビリティを育もうとすれば、現場としての組織もネガティブ・ケイパビリティを培うための扉が開かれるのです。

「今この瞬間に思考する能力」を持っている

「リーダーシップにおけるネガティブ・ケイパビリティ」を研究しつづけているピーター・シンプソンとロバート・フレンチは、「ネガティブ・ケイパビリティと今この瞬間に考える能力―リーダーシップの実践への示唆」という論文の中で、「リーダーシップの実践に関しては、『将来への計画』と『過去からの学習』が広く取り上げられているが、リーダーの「今この瞬間に考える力」にも注目する必要がある」として、そのためにはネガティブ・ケイパビリティが必須であると述べています。

「今この瞬間に考える力」とはどういうことでしょうか。論文の要旨を簡単にまとめてみます。

ネガティブ・ケイパビリティを有し、辛抱強く、フラストレーションや不安を許容できるリーダーは、「実際に何が起こっているのかわからない状態」に陥ったとしても、まずそれを認めることができる。

自分が「知らない」、「わかっていない」可能性を受け容れることで、今この瞬間に起こっている複雑で流動的な状況から目をそらさず、思考停止をしない。今この瞬間の「知らない」という経験、つまり無知を認め、新しい可能性を考え続ける。

「知らない」、「わかっていない」ことが許されないプレッシャーは大変強いため、通常であれば、自分の無知に目をそらしたり、知ったかぶりをしてしまうことも往々にしてある。

しかし、ビオンは、今この瞬間の（知識も経験もない）「空っぽの空間」においてこそ、新しい思考が生じたり見出されたりすると考えていた。ただし、人は、答えや知識で「空っぽの空間を埋めよう」としがちだ。だからビオンは、モーリス・ブランショの言葉を引いて、「答えは、好奇心の不幸である」、「答えは好奇心を殺す」とも述べたのだ。

自分が「すべてを知っている」と傲慢にならないこと。確信が持てず「中途半端な知識」しか持てない状況にも耐えられるよう、ネガティブ・ケイパビリティを維持しなければならない。

繰り返し述べてきたように、どうしたらよいか、どう考えたら良いかわからない状況は、だれにとっても、不安で居心地が悪く、不快です。早くその状況から脱出したいと、「これまでのやり方」を思考停止したまま推し進めたり、だれかや何かに責任を押しつけて知らん顔をしてしまったりすることはしばしば起こりうることです。

しかし、これから様々な不確実性の高い事態に向き合うためには、組織のリーダーは、思考停止をしてはいけないのです。問題が起こっているまさにその瞬間にも、「知らない」、「わからないこと」を受け容れ、それに向き合い続けて、新しい可能性を模索し続けること。それが「**今この瞬間に考える力**」です。

そしてそのためにも、ネガティブ・ケイパビリティを養うことが求められているのです。

創造的リーダーシップを発揮できる

「今この瞬間に考える力」はそのまま「創造的リーダーシップ」にも繋がります。

「創造的リーダーシップ」とは、未知の事態に遭遇しても、不確かさ、曖昧さに振り回されたり、過去の例に囚われたりすることなく、かつてなかった新しい可能性を見出して、組織の進むべき方向性を導くというリーダーシップです。

かつてない危機に直面し、いかなる前例でも乗り越えられないような未知の事態を打開するのに、どうしても必要なリーダーシップなのです。

フレンチらは別の研究で、「ネガティィブ・ケイパビリティは、創造的リーダーシップにとっても必須である」と主張し、「タイレノール危機」の事例を示しています。

優れた危機対応の例としてよく知られている事例ですが、簡単に紹介しながら、フレンチとシンプソンの解説を参考に、この対応を考えてみます。

タイレノールとは、製薬やさまざまなヘルスケア関連製品を扱う多国籍企業、ジョンソン・エンド・ジョンソンの代名詞ともなっている、解熱鎮痛剤の商品名です。1982年9月30日、タイレノールを服用した12歳の少女が、混入されていたシアン化合物によって死亡。計5瓶のタイレノールによって計7名の死者が出たほか、毒物が混入された3瓶が回収されるという不可解な事件が発生したのです。

第三者による意図的な犯行なのか、それとも生産過程で生じた問題なのかもわかりませんでした（今でもわかっていません）。メディアや一般の人々から厳しく追及され、社会からの信頼は大きく失墜し、業績も急激に悪化し、同社は倒産寸前にまで追い込まれました。

かつて聞いたこともなければ経験したこともない事態に動揺が走る中、同社のジェームズ・バークCEO（当時）は、果敢な判断を下し実行に移します。

まず即座に同商品の製造中止と回収を指示します（事件発生から1週間もたたない10月5日にタイレノール全製品のリコールを発表）。

まだ明確なことが何も判明していない状況でしたが、巨額の費用をかけて、膨大な回数のテレビ放映、専用フリーダイヤルの設置、新聞の全面広告などを用いて、注意を呼びかけました。

また、顧客への呼びかけにテレビCMや新聞広告だけでなく、バラエティショーやドキュメンタリー番組にまで出演します。このような対応はかつてしたことが無く、非難と逆恨みをエスカレートさせるリスクも考えられたため、社内での支持者はほとんどいなかったのですが、彼は断行しました。とにかく顧客への配慮を最優先させるために必要だと考えたのです。

一方で、検査機関の調査に積極的に協力し、企業秘密情報も包み隠さず公開、検査の委託も行います。そうした状況の説明を、消費者や医療関係者に対して、繰り返し繰り返し伝えます。

また同時に、毒物の混入を防ぐための新しい「3重シールパッケージ」の開発も急ぎました。

当初は疑惑の目で見られていた同社ですが、この徹底した対応策によって、その誠意ある対応のすばらしさに賞賛が集まるようになり、事件後2ヶ月には、同社の売上は事件前の80％まで回復したのでした。

バークCEOは、ポジティブ・ケイパビリティとネガティブ・ケイパビリティの両方を、適切な形で実行したと考えられます。状況がわからない中での回収判断や、リスクを伴う前例のないテレビ出演などは、ネガティブ・ケイパビリティがあってこその行動だと言えるでしょう。

同時に、顧客や取引先への呼びかけや、検査機関への協力、新しいパッケージの開発などを即座に行ったことは、会社への疑念を払拭する上でも非常に有効でした。これらは、ポジティブ・ケイパビリティ発揮の好例です。

フレンチとシンプソンは「この特異な状況下で、ポジティブ・ケイパビリティとネガティブ・ケイパビリティを組み合わせた対応は、自社もメディアも、そして一般の人々も、この問題に対する新しい考え方を見つけ、創り出すことができる余地（スペース）を生み出した」といいます。

バークCEOは、メディアとの接触や消費者マーケティングなどの重要性を知っていました。一方で、原因の不明さや、対応に対する世論の反応など不確定な要素があることも、しっかり認識していたのです。その不確定性の中で、本来の顧客最優先という原則に基づいた判断を下しました（同社には元々「顧客への責任を第一に考える」という企業理念があり、その理念を徹底して実行したことになります。関係者全員が一つの理念を共有し、それをめざして動くことは、次章でも大切な要素として出てきます）

バークCEOは、まさに「知っていること」と「知らないこと」の狭間に立ち、「今この瞬間に考える力」を発揮して、未知な状況の中で創造的な洞察を行いました。

一方で、彼はあくまで経営者です。キーツのような芸術家ではなく、組織のリーダーです。ですから、創造性それ自体を求めているわけではなく、インスピレーションの赴くままに行動するわけでもありません。自社の競争優位を確立・維持し、競争や市場原理に直面している組織が繁栄できるようにするため、あるいは顧客ニーズが満たされるようにするための判断をしました。

こうした一連の考え方や行動のすべてが、「誰が犯人か」、「責任はどこにあるのか」

といった単純化された結論を求めて責め立てる雰囲気を変え、同社への賞賛という結果をもたらし、さらには同様のトラブルが起こったときのモデルケースとして認知されるようになったのでした。

この事例が示すように、ポジティブ・ケイパビリティとネガティブ・ケイパビリティの組み合わせこそが、「創造的リーダーシップ」を生むのです。

この例にとどまらず、企業や組織は、いつ何時、どのような状況に陥るか、わかりません。天災や戦争、市場の混乱から、予想もしていなかった業界や関連企業の動き、自組織内の不祥事などがいつ降りかかるかわかりません。いかなる組織も、平穏無事な日々がずっと続くということは想定できないでしょう。

そういった企業や組織を率いるリーダーは、自分はすべてをわかっているわけではないということを強く意識する必要があります。「知っていること」と「知っていないこと」の狭間にとどまり、その時々の現実の体験に影響を受けることを受け容れ、その瞬間の洞察と新しい思考を展開していくのです。豊かなネガティブ・ケイパビリティがあってこそ、未来を拓くことが可能となるのです。

ネガティブ・ケイパビリティを発揮する上での6つの中核的活動

「リーダーシップの文脈におけるネガティブ・ケイパビリティの適用に関する質的研究」という論文を書いたブランドは、「ネガティブ・ケイパビリティは破壊的な変化に直面したときに、革新的なアイデアを促進する大きな可能性を秘めているにもかかわらず、リーダーシップの世界ではほとんど検討されてこなかった」と述べています。

この研究では、14人のリーダーにインタビューし、ネガティブ・ケイパビリティを用いているかどうか、どの程度用いているかを調べました。このような研究はほとんどないため、少し詳しく紹介しましょう。

分析の枠組みとして、文献調査やコーチング・クライアントの観察、個人の経験に基づき、ネガティブ・ケイパビリティの適用開始点から終点まで、6つの中核的活動を同定しています。

まず、「ネガティブ・ケイパビリティの適用開始点」は、リーダーがビジネス上のジレンマや破壊的な挑戦に直面し、適切な対応策や解決策が手元にないとき、としています。6つの中核的活動は次のものです。

1．スペース（余地）を創る

即座に反応することに抵抗する。次の中核的活動を可能にするためのスペースと時間を創るために、活動を遅らせたり、止めたりする。例えば、休憩を取る、散歩に行く、一晩以上時間を置く、など。

インタビューした14人のリーダーのうち、できていたのは、12人でした。ビジネス上の問題に直面したとき、すぐに解決策を決めずに、ゆっくりと待つ、事態を落ち着かせる、問い合わせのための時間を追加してもらう、問題をよく考えるようにする、などの回答がありました。

2．自己認識

リーダーは、今この瞬間の自分の思考、感情、身体の反応を観察し始める。

「1．スペースを創る」ができていた12人中11人ができていました。自分の感情や思考を意識・認識している、または、しようとしているという回答でした。

3．器に容れるように保持する（Containment）

自分や他人の落ち着かない感情に気づくと、それを受け容れ、保持し始める。自分の内なる判断の声に抵抗し、防御に走らないことで、「散らすこと」（説明、感情的反応、物理的行動など）を回避する。不安、不確実性、疑念、複雑さ、曖昧さ、パラドックスなどを許容することで、自分自身と他者の脆弱さを許容する。また、他人の感情的な混乱に共感している。

「2．自己認識」ができていた11人のうち、7人ができていました。「指示が異なってよくわからない状況に置かれたとき、時間をもらって、性急な結論を出さず、プレッシャーに対処することにした」、「特に何をしたらいいかわからないとき、すぐに行動して不快な感情から解放されたいという誘惑に駆られるが、じっと我慢するようにしている」などの声がありました。

4．内省

経験した感情や身体感覚の認識を情報源として利用し、感情の混乱の根本的な問題について、自問自答して内省する。信頼できる他人に関わってもらうこともある。積極的に問いを発し、耳を傾け、観察し、自分自身の観察と他者からのフィードバックの意味を理解しようとする。

この熟考のプロセスから、自分自身の抱いている制約となるような前提や信念、認識を読み解くことができるようになる。これまで意識していなかった自分の盲点に気づくことができる。

「3．器に容れるように保持する」ができていた7名のうち、6名ができていると判定されました。「適切な解決策を見つけるために、内省に多くの時間を費やすことが多い」、「定期的に内省の時間をとるようにしている」、「自己啓発のためのスペースを創るため、定期的に戦線離脱するようにしている」などの声がありました。

5．手放す

自分自身の限界や知識・知見の欠如を受け入れる勇気を持ち、「すべてを知ることはできない」と自覚し、謙虚になる。こうして、自分の限られた知識や限界のある信念から自分自身を切り離す。この新しくできた空間を、過去から得た知識で埋めようとすることに抵抗する。

「4．内省」ができていた6人のうち3人が、思い込み、知識、知見を手放すことができている、と判定されました。「最初にリーダーの立場になったとき、あまり専門知識がなかったため、知らないということに慣れる必要があった」などの回答がありました。

6．出現する

可能な限り最高の自分へと進化する意思を持っている。例えば、自分は別の役割や環境で自分を作り直すことができる、と自分の能力を信じている。自分を適応させ、シフトし、調整することによって、柔軟性を発揮している。今この瞬間に必要とされるものに、自分自身を完全に差し出している。

「今、私・私たちを通して何が生まれようとしているのか」という問いに導びかれ、忍耐強く待ちながら、生き生きとした受容の状態にある。記憶も欲望もなく、今この瞬間に心と体を完全に開放している。この出現のプロセスの結果について、何も決めていたり想定したりしていない。好奇心、インスピレーション、想像力、直感を大事にし、意識の中に新しい洞察が生まれるまで、その瞬間の真実に関わっている。

「5. 手放す」ができていた3人とも、できているとの判定でした。「非常にオープンで受容的な段階を経て、突然、アイデアが振ってくることがある」、「自分の直感を信頼している」などの回答がありました。

最後に、「ネガティブ・ケイパビリティの終点」は、その瞬間の真実に触れることで、新たな洞察が展開されたとき、としています。新しく得られた洞察は、今度は、ポジティブ・ケイパビリティを発揮して実行されることになります。

この研究で、ネガティブ・ケイパビリティの6つの中核的活動のすべてができていた人たちに共通する特徴として、次のものが挙げられています。

1．自分の職業アイデンティティにこだわりがなく、より柔軟なワーキング・アイデンティティを持っている

2．好奇心旺盛で忍耐強く、新しいものにもオープンで柔軟なマインドセットを持っている

3．高い自己認識と大きな共感力を持ち、自分の能力を信頼しながらも、すべてを知ることはできないという謙虚さを有している

また、今回のインタビュー対象者のうち、瞑想などのトレーニングを定期的に行っている人の80％が高いレベルでネガティブ・ケイパビリティを発揮していたことから、瞑想や黙想の実践とネガティブ・ケイパビリティには相関関係があるようだ、とされています。

先にも述べたように、リーダーシップとネガティブ・ケイパビリティに関する質的な研究はほとんどありません。ここで挙げられている6つの中核的活動も、広く認められ、検証されたものではありませんが、リーダーが実際にネガティブ・ケイパビリティを発揮するときにはどのようなプロセスを経ていくのかについての1つの有用な仮説であると考えられます。

被験者数も14名と少ないですが、興味深い研究です。今後、ネガティブ・ケイパビリティの重要性に注目が集まるようになるにつれ、こういった研究も増えてくることでしょう。

松下幸之助氏の「素直な心」

海外のネガティブ・ケイパビリティの研究者が、日本を代表する経営者・松下幸之助氏が大事にしていたものを、「ひじょうに重要なもの」として取り上げています。

「チェンジ・マネジメント誌」に掲載された論文で、グラスゴー大学のロバート・チアは、急速に変化する状況に対処・対応する上では、構造的な再編成やダウンサイジング、既存のルーチンの破壊、既存の組織慣習の根本的な廃止といった重大な破壊を進める「英雄主義」的なチェンジ・マネジメントではなく、変化に対する「創発的」アプローチが重要であり、そのためにはネガティブ・ケイパビリティが必要だと言います。そして、ネガティブ・ケイパビリティを発揮するだけでなく、「そこでどうしたらよいか」のヒントとして、松下幸之助氏が重視していた「素直な心」が大事だと説いています。論文から抜粋して紹介しましょう。

特に欧米では、直接的で、断固とした、目的意識の高い、合理的な行動が高く評価され、受動的な受容や見かけの寡黙さ、不作為よりも、積極的な行動が好まれるため、組織の変革も、迅速で、目に見える劇的な成果を達成することを期待して行われる。

典型的なアプローチは、(a)あらかじめ特定された組織目標の達成に対する問題や障害を特定し、(b)努力、エネルギー、資源を最大限に集中してそれらに正面から取り組み、(c)最も迅速かつ効率的にそれらを決定的に排除または克服する、という直接的かつ真正面からの取り組みである。

このように、直接的で真正面からのアプローチが好まれることから、変革のマネジメントは英雄的で「壮大な」言葉で表現されることが多い。成功をもたらすのは、重要な個人（通常はトップマネジメント）の決定的な行動であると見なされ、「ビジョナリー」リーダーや「ヒーローCEO」が称賛される。だが、計画された組織の変化が意図しない結果を生むことも実は非常に多いのである。

チェンジ・マネジメントに対する英雄的なアプローチは、「変化を起こす」ことを主眼とする。他方、「変化が起こる」こと、つまり、流動的で変化する現実を受け容れるアプローチもある。変化のプロセスは多くの場合、ゆっくりで静かに進行するため、ほとんど気づかれない。加齢にせよ、作物の成熟や地球温暖化のプロセスにせよ、ほとんど不可避的に、本質的に自己展開的に起こる変化である。現実の社会生活の変化の多くも、同じように、私たちに意識されることなく、静かに、止まることなく起こっているのだ。

そのとき、このようなミクロの変化に対する感受性の高さこそが、最終的に、持続可能で長期的な成功の可能性を左右する。このようなミクロの変化が常に起こっているという鋭い感受性と認識があれば、早急に積極的に介入することを避け、むしろ状況を「熟成」させてから、静かにそっと働きかけを〝差し入れ〟て変化を起こさせることができる。

戦略的な組織改革は、あらかじめ決められた結果を精緻に設計するのではなく、コントロールを緩め、果物が熟すのを待ってから最小限の努力で摘み取るのと同じように、「成り行きに任せる」ことによって行うことができる。そのためには、まず、社会状況の中で常に起きている微細な差異や変化を体系的に見分けることができる感覚を養うことが必要である。

日本最大の実業家、松下幸之助は、「経営哲学」の中で、あらゆるレベルのマネジャーが「直な心」を持つことの重要性を繰り返し述べている。スナオとは、日本語で「柔和」「誠実」「真摯」を意味する言葉である。素直な心、無邪気な心、真摯な心。偏見や先入観を持たず、その瞬間にあるものをそのまま見ることができる「とらわれない心」があるから、刻々と変化する状況に効果的に適応していくことができるのだ。

ここでお手本としてあげられている松下幸之助氏は、『実践経営哲学』という著書の最後に、「素直な心」という章を置いています。「経営者が経営を進めていく上での心構えとして大切なことはいろいろあるが、一番根本になるものは素直な心である」として、「素直な心とは、自分の利害や感情、知識や先入観などにとらわれずに、物事をありのままに見ようとする心である」と説明しています。経営の神様と言われた松下幸之助氏の考えを、さらに聞いてみましょう。

経営というのは、天地自然の理にしたがい、世間大衆の声を聞き、社内の衆知を集めて、なすべきことを行っていけば、必ず成功するものである。その意味では必ずしもむずかしいことではない。しかし、そういうことができるため

には、経営者に素直な心がなくてはならない。（中略）
世間大衆の声に、また部下の言葉に謙虚に耳を傾ける。それができるのが素直な心である。それを自分が正しいのだ、自分の方が偉いのだということにとらわれると、人の言葉が耳に入らない。衆知が集まらない。いきおい自分一人の小さな知恵で経営を行うようになってしまう。これまた失敗に結びつきやすい。
素直な心になれば、物事の実相が見える。それに基づいて、何をなすべきか、何をなさざるべきかということもわかってくる。なすべきを行い、なすべからざるを行わない真実の勇気もそこから湧いてくる。
さらには、寛容の心、慈悲の心というものも生まれて、だから人も物も一切を生かすような経営ができてくる。また、どんな情勢の変化に対しても、柔軟に、融通無碍に順応同化し、日に新たな経営も生み出しやすい。

「経営の神様」はどんなに高度で精緻な戦略策定手法を持っているのかと思いきや、

「素直な心」がいちばん大事だと言います。そして、それは簡単ではない、とも。「素直な心」で謙虚に耳を傾けるとは、自分の記憶も理解も欲望も脇に置いて、という意味で、ネガティブ・ケイパビリティそのものです。日本が世界に誇る経営の神様は、豊かなネガティブ・ケイパビリティの持ち主だったのです。

ネガティブ・ケイパビリティ発揮のお手本になる

リーダーは、ネガティブ・ケイパビリティを身につけることで、自分自身が「今この瞬間に思考し、創造的なリーダーシップをとる」だけでなく、部下や関わる人々に対して「散らしてしまう」ことに抵抗するお手本となり、「答えの見えない状況」をホールドする「器」の役割を果たすことができます。

リーダーやマネージャーがふだんから、ネガティブ・ケイパビリティ発揮のお手本を示すことも有用です。ミーティングや一対一のやりとりなどで、すぐに結論や解決策を求めるのではなく、じっくりと「わかっていること」と「わかっていないこと」

を峻別していく問いを発したり、早急な判断に走りがちな部下に対して、「不確かな中でもとどまり続けること」を求めたりすることができます。自席にいるときに、「これはどうなっているのかな？　少し立ち止まって考えてみなくては」などと、まわりにも聞こえる「独り言」を口にするのも、ネガティブ・ケイパビリティに優しい雰囲気づくりの一助になるかもしれません。

米疾病対策センターの元所長であるジェフリー・コプラン氏は、新型コロナウィルスの感染拡大の時期に、新聞のインタビュー（２０２１年１月28日付読売新聞）で、「感染を制御できるようになり、インフルエンザと同じような存在になるとの見方もあるが、危険性を過小評価してはいけない」と述べたあと、こう付け加えます。「答えが分からない時は答えを出さないことが賢い態度だ」。

こういうリーダーであれば、部下も同僚も、「わかったふりをしなくては」、「すぐに答えを出さなくては」というプレッシャーを感じずに、じっくり構えることができるでしょう。

リーダーと組織のネガティブ・ケイパビリティを高めるために

リーダーのネガティブ・ケイパビリティを高める

「ネガティブ・ケイパビリティがこれからの成功のための重要なリーダーシップ・スキルになるだろう」――リーダーシップ論や組織開発に関わる論文などで、このように位置づけられるようになってきました。ネガティブ・ケイパビリティに欠け、「わからない」状態に対処できないリーダーは、無思慮な行動を引き起こし、組織にリスクをもたらす可能性があるとも言われます。リーダーは自分自身のネガティブ・ケイパビリティをどのように高めることができるでしょうか。

リーダーもひとりの人間ですから、まずは、第5章に示した「個人のネガティブ・ケイパビリティの高め方」に示したことが土台となります。

加えて、次のような認識を繰り返し確認し、自覚を高めておくことが大事です。

- 知ることと知らないこと、確実性と不確実性の間に「創造性と恐怖の両方の可能性」があること
- 特にポジティブ・ケイパビリティが重視される立場から、「散らす」方向へのプレッシャーがかかりやすいこと
- しかし、今の時代、これからの時代のリーダーシップの成否には、ネガティブ・ケイパビリティが決定的に重要であること

そして、自分自身の「散らす」パターンに気づき、「あ、また散らしそうになっているな」と自分自身で注意報を出せるようにしておくとよいでしょう。よくある「散らすパターン」として、不十分でも無理に説明しようとすること、感情的に反応すること、落ち着かない感情にフタをしてなかったことにすること、もはや通用しないであろう以前の知識を呼び起こして用いようとすること、急いでとにかく行動に移そう

とすること、などがあります。「マイ・パターン」がわかれば、自分で自分に注意報を出せるようになるでしょう。そうすることで、立ち止まりやすくなります。

また、グループや組織として、ネガティブ・ケイパビリティの発揮をはばむパターンにも気づけるとよいでしょう。リーダーは自分自身のネガティブ・ケイパビリティだけではなく、部下やグループ全体のネガティブ・ケイパビリティにも目配りをする必要があるからです。

前出のロバート・フレンチは、「例えば、ビジネスミーティングでは、難しい議題の議論中に、「次の会議に回そう」という声が上がるのはよくあることだ」と、このように注意を発しています。

このとき参加者は、他の議題のために、あるいは会議では得られない情報を収集するために、本当に必要な延期なのかどうかを見極めることが必要である。もし本当に必要な延期ではないと思われる場合、「次回に」という提案は単に、参加者の一部または全員にとって痛みを伴う結果をもたらすかもしれない決定に至ることの難しさが引き起こす「散らす」行動である可能性がある。

リーダーは、ネガティブ・ケイパビリティを発揮するための「次回に回そう」なのか、ネガティブ・ケイパビリティの発揮をはばみ、踏みとどまれずに散らしてしまう「次回に回そう」なのかを見極め、必要な場合には、介入する必要があります。

また、リーダーがふだんから、ネガティブ・ケイパビリティを発揮しやすい雰囲気や組織風土を醸成することも重要です。たとえば、自分が「知らない」、「わからない」と言えるようにしておくこと。部下やグループに対して、「全部はわからないけれど」、「知らないこともあるけれど」など、前置きをして話をするようにするのも一案です。

そうすることで、周囲や部下の自分への期待値を下げることができます。「この人は何でも知っている」、「いつでもすぐに答えを出してくれる」と期待されていると、どうしても、その期待に応えたくなり、ネガティブ・ケイパビリティを発揮しづらくなってしまいます。

そうではなく、「この人は知っていることも多いが、知らないこともある」、「多くの場合は、すぐに答えを出してくれるが、ときには、答えを保留することもある」というイメージを持っておいてもらうと、自分がラクになります。

先に「ミラーリング」という言葉を紹介しましたが、リーダーがそのようにネガティブ・ケイパビリティを発揮しようと努力していることは、部下やグループのお手本となり、部下や他のメンバーもネガティブ・ケイパビリティを発揮しやすくなります。そうすると、リーダーもますますネガティブ・ケイパビリティを発揮しやすくなり、組織やグループの中に好循環が生まれます。

リーダーのネガティブ・ケイパビリティについての研究は今後盛んになってきそうです。サグルチーらは、次のように今後の研究への期待を述べています。

- ネガティブ・ケイパビリティは研究対象が広い分野だ。この分野では、ほとんど実証的な研究が行われていないが、次のような問いについて研究が求められているよう。

- どのようなリーダーがネガティブ・ケイパビリティを持っているのか？
- どのようなスタイルのリーダーシップがよりネガティブ・ケイパビリティを必要とするか？
- 組織内のどのような役割がより多くのネガティブ・ケイパビリティを必要とするか？
- ある役割から別の役割に移行するとき、ネガティブ・ケイパビリティはどのように役立つか？
- ネガティブ・ケイパビリティは、組織における戦略プロセスにどのように貢献するか？
- ネガティブ・ケイパビリティを導入した組織は、より優れた「学習する組織」となりうるか？
- 暗黙知とネガティブ・ケイパビリティには関連があるか？
- ネガティブ・ケイパビリティは文化によってどのように違うのか？
- 初心者の心持ちを持ちつづけることは東洋思想で重視されていることを考えると、

東洋の方がネガティブ・ケイパビリティに優れているのだろうか？

- 誰もが等しく十分なネガティブ・ケイパビリティを身につけることができるのか？
- 自尊心の低さや自己愛、神経症的不安などが、ネガティブ・ケイパビリティの育成に影響を与える可能性はあるのか？

また、アマンダ・ヘイとジョン・ブレンキンソップは、「不安と人材開発：ネガティブ・ケイパビリティ育成の可能性」と題した論文で、社会人MBAプログラムの学生たちを対象に、不安に耐えるネガティブ・ケイパビリティがプログラム中にどのようにはぐくまれたかを分析し、「特に、仲間のサポートが重要だった」ことを見出しました。

信頼できる仲間に自分の悩みを話すことで安心感を得ていること、そして、他の人と同じであることで安心し、「自分だけではない」と、自分の能力への疑念を静めているようだ、と述べています。職場でも、「正直、わからないところがある」、「自分もこのまま進めてよいか、疑問を感じている」と率直に不安やわからなさを共有できる仲間のグループをつくることが有効です。

そうしていくなかで、「ふだんはテキパキと進めていくが、不確かなことがある場合は、早急に結論に飛びつかず、じっくり考え抜けるグループ・組織」になっていくことをめざします。組織風土にネガティブ・ケイパビリティを織り込んでいくのです。

このように、個人やリーダーがネガティブ・ケイパビリティを高め、「ちょっと待てよ」と立ち止まり、わからなさや不確かさのなかでとどまれるようにすることは極めて重要です。しかし、それだけではネガティブ・ケイパビリティの発揮は属人的になってしまいます。「人によってはできるが、できない人も多い」のでは、組織としてネガティブ・ケイパビリティを発揮することはできないでしょう。

そこで、組織として、ネガティブ・ケイパビリティを発揮するための「**ネガティブ・ケイパビリティ発揮装置**」を持っていることが重要になってきます。

企業や組織に「ネガティブ・ケイパビリティ発揮装置」を設けておく

「わからなくてもよい」がルールの「器」を設ける

何でもすぐに答えを出すことを求められる。「わからない」、「知らない」ことはマイナス評価を受けてしまう。したがって、メンバーは、答えのある問題しか取り上げない。不確かさに対して、踏ん張りつづけられない。生半可な知識や意味付けを用いて、急いで安易な結論を出そうとする。答えがすぐに見えないと、不安になって、探究を止めてしまう……。

こんな組織にイノベーションが生まれると思いますか?

ネガティブ・ケイパビリティも大事にする組織なら、メンバーがネガティブ・ケイパビリティを発揮できるよう、安全な「器」を設けることができます。いつも、ではなく、「今からそういう時間と場だよ」と区切って設ければよいのです。

たとえば、「この会議では結論は出さないことにして、できるだけさまざまなアイディアを出そう」と、ブレーンストーミングの時間を持つこともできるでしょう。

「ブレストだったらしょっちゅうやっているよ」という組織も少なくないでしょう。

しかし、大事なことは、そのときに、メンバーがどこまで安心して、**「わからなくてもよい」**、**「完ぺきでなくてもよい」**と思って、さまざまに発想を広げたり、考えや思いを共有することができているか、です。その「器」の広さや深さによって「場の質」が決まってくるのです。

ダニエル・キムの「組織の成功循環モデル」によれば、「場の質」が「関係性の質」を決め、「関係性の質」が「思考の質」に影響を与え、「思考の質」が「行動の質」を決め、「行動の質」が「結果の質」を左右します。安心して「わからなくてもよい」、「完ぺきでなくてもよい」場をつくることができれば、組織の成功循環モデルの始動の一歩となるでしょう。

前出のサグルチーらは、

「ビジネススクールでは、学生たちに、対話と内省を促すやり方の探究を通して、疑いや予測不可能性、不確実性を受け入れることを教えなければならない。そうすることで、異なる構造を、何のこだわりも思い入れもなく見ることができ、理解し行動するために、内省し選択することができる」

と述べています。

ここでも指摘されているように、場の質を高める大きな鍵は、**対話と内省**です。先に紹介した「推論のはしご」などを組織やグループのメンバー全員で学んで共通言語化しておくことで、探究と主張の質を高め、対話と内省を深めることができるようになります。

「ブレストの時間」という「器」を設けると共に、深い対話と内省ができるという「作法」もみなで身につけておくことが大事です。

「ちょっと待てよ」のしくみを持つ　①ネガティブ・チーム

組織として、不確実さや不安に目をつぶって、速攻で決断に飛んでいかないように、「ちょっと待てよ」のしくみを持っておくと役に立ちます。

「ちょっと待てよ」のしくみですぐに思い出すのは、昭和シェル石油の元会長・新美春之氏の「**ネガティブ・チーム**」です。新美氏は、会社にとっての大きな決断をする時に、案件を批判的に分析するネガティブ・チームを設けていたそうです。

ネガティブ・チームとは、自分や経営陣が「そうしたほうがよい」と考えているときには、「そうしないほうがよい」という意見を敢えて出すチームです。自分たちが賛成・推進派のときは、そうでない意見やものの見方はとりづらくなります。その結果、全体像を捉えずに、またはバランスを欠いたものの見方で決断してしまうかもしれません。新美氏はそれを大きなリスクだととらえていたのです。

これをあえて「チーム」としてメンバーを指名したのには理由があります。部下の異論は、正論であっても面白くなく思う上司も少なくないですから、部下も遠慮したり保身に走って、言わないままにするかもしれません。しかし、経営陣から「異なる意見を出し、自分たちが気づいていないリスクを指摘するのが君たちの役割だ」と言われれば、安心して述べることができます。反対意見や異論を述べるために、案件のさまざまな面を検討することができます。組織として、「ちょっと待てよ」ができるしくみなのです。

ちなみに、新美氏とご一緒させていただいたのは、昭和シェル石油時代、新美氏が力を入れられていた「私のまちの○と×」という環境フォト・コンテストの審査員を務めていたときでした。自分のまちを改めて見てごらん、いいところ、美しいところもあるでしょう。でも良くないところ、美しくないところ、変えたいところもあるでしょう、その両方の写真を撮って、ペアにして応募してください、というフォトコンテストでした。これは、これまで見ているのに見ていなかった自分のまちを新たな目で見ることでいろいろなことに気づき、考えよう、という呼びかけでした。通り過ぎるだけだったまちを、少し立ち止まって見てみようよ、という、ネガティブ・ケイパビリティの呼びかけでもあったのだ、と思います。

さて、「ネガティブ・チーム」は、遠い昔、中国の唐王朝にもありました。当時設けられていた「諫議大夫」という官職は、皇帝が間違ったときにその過失をいさめ、あるべき政治の姿について意見を述べる役割です。特にリーダーに対して「ちょっと待てよ」と再考を求める、言ってみれば、皇帝付のネガティブ・ケイパビリティ係でした。役割とはいえ、皇帝の意に逆らったり、身を正すよう求めたり、耳の痛いことを言わなくてはならず、激怒した皇帝に処刑されることも少なくなかったという命がけの官職でした。任命を受けると、家族と水杯を交わして出仕したという話も伝わっています。

唐王朝の基礎を築いた太宗の言行録である『貞観政要』は、リーダー論の古典として、現代に至るまで多くの人々に読み継がれていますが、ここにも太宗に諫言を呈する諫議大夫たちが登場します。『貞観政要』全40篇のうち、特に、第4篇「求諫」、第5章「納諫」は、諫言を求め、諫言を納れることが明君にとってどれほど大事であるかを具体例とともに教えてくれます。

日本の戦国時代の武将にも、同じように「組織としてのネガティブ・ケイパビリティ発揮の場」を設けていた例があります。松下幸之助氏の著書『素直な心になるために』から紹介しましょう。

戦国時代の武将、黒田長政は、〝腹立てず〟の異見会という会合を月に二、三度ずつ催していたといいます。参加者は家老をはじめとして、思慮があって、相談相手によい者、またはとりわけ主君のためを思う者など六、七人であったということです。

その会合を行なう場合には、まず長政から参加者に対して次のような申し渡しがあります。「今夜は何事をいおうとも決して意趣に残してはならない。他言もしてはならない。もちろん当座で腹を立てたりしてはならない。思っていることは何でも遠慮なくいうように」。

そこで一座の者も、それを守る誓いを立てた上で、長政の身の上の悪い点、家来たちへの仕打ち、国の仕置きで道理に合わないと思われる点など、何でも底意なく申し述べるわけです。過失があって出仕をとめられた者や扶持(ふち)をはなれた者のわびもいう。そのほか何事によらず、通常の場合には口にしにくいことをいいあいました。

その間に、長政に少しでも怒りの気色などの見えるときは、参加者が「これはどういうことでございますか。怒っておられるように見えます」という。そうすると長政は、「いやいや、心中に少しの怒りもない」と、顔色を和らげる。こういう姿であったということです。

この異見会は非常に益のある会合となっていました。そして長政は、その遺書の中にも、「自分がしてきたように、今後も異見会を毎月一度は催すようにせよ」と書きのこしていたということです。

戦国時代の武将といえば、とかく戦場で全軍に下知をとばし、部下を叱咤するといった激しい姿が想像されますし、また城にあってもいわゆる生殺与奪の権をにぎっているこわい殿様というイメージもわいてきます。また実際にそういう面もたしかにあったのではないかと思われます。

だからもし万一家来が主君に対して諫言するというようなことになれば、その家来は切腹を覚悟で諫言をしなければならないわけです。切腹を覚悟でということは、命をすててということです。それだけに、よほどの名臣ならともかく、ふつうの場合は、なかなか諫言の必要を感じてもできにくかったであろうと思われます。

しかし、そういうことでは、主君の耳には都合のいいことしか入ってこないでしょう。これでは国をあやまるもとにもなりかねません。長政はそのことをよくわきまえて、それで、都合の悪いこと、耳に痛いことでも聞けるようにという会合をもったわけでしょう。

もちろん長政も人間です。だから自分の悪い点を家来が面と向かって指摘したなら腹も立つでしょう。しかしそこで腹を立てればもうおしまいです。だからそのことをあらかじめ考えて、会合の前に〝腹を立ててはいけない〟というルールをお互いに誓いあって万全を期していたわけです。まことにゆきとどいた姿といえるのではないでしょうか。

長政がそういう姿の会合を続けていたということは、一つには自分にも至らない点、気づいていないこと、知らないことがある、それは改めなければならないから教えてもらおう、というような謙虚な心をもっていたからではないかと思われます。

もちろんそこには、国をあやまらないために、という配慮もあったでしょうが、その前に、いわば自分自身の不完全さを自覚するという、人間としての謙虚さといった深い心をもっていたからではないかと思うのです。そういう不完全さの自覚があったからこそ、たとえ家来からの指摘であっても、それをいわば天の声として受けとめるという謙虚さも生まれてきたのではないでしょうか。

そしてそういう謙虚さはどこから出てきたかというと、それはやはり素直な心が働いているところから出てきたのではないかと思うのです。謙虚な心で衆知に耳を傾けるということは、いつの時代どんな場合でも非常に大切なことですが、素直な心が働けば、そういう姿がおのずと生まれてくるのではないかと思います。

すなわち素直な心になれば謙虚さが生まれ、その謙虚な態度の中から衆知というものもおのずから集まってくるのではないかと思うのです。黒田家五十二万石安泰の基盤も、一つにはそのようにして衆知が集まったところから築かれていったのではないでしょうか。

遠い過去の君子や武将だけではありません。マシュー・サイド著『多様性の科学』には、「陰の理事会」と称して、重要な戦略や決断について、若い社員が上層部に意見を言える場を設けている企業の例が出てきます。

一例がイタリアのファッションブランド「グッチ」です。

同社では、陰の理事会を設け、若い人材とベテランチームとの定期的なコミュニケーションを図っており、役員会議で取り上げる問題について同社の若手社員が出す意見は、「上層部にとって警鐘となった」と紹介されています。

このように、組織としてネガティブ・ケイパビリティを大事にする組織には、多様な意見や考えを尊重するしくみを持っています。特に、その意見を採用するかは別として、上司や主流派と異なる意見を出せる・聴けるしくみがあることが重要です。

「ちょっと待てよ」のしくみを持つ　②シナリオ・プランニング

もう1つ、意図的に複数の可能性を考えるプロセスを設けている企業の例を紹介しましょう。グローバルなエネルギー企業・シェルです。

1907年創業のシェルは、現地法人100社以上に成長した1972年、シナリオ・プランニングのグループをつくりました。「シェルのマネジャーたちが慣れ親しんできた、予測可能な安定した世界は変わろうとしている」と、待ち受けている激変をシェルのマネジャーたちに理解させようとしたのです。

しかし、その試みは大部分が失敗してしまいました。新しいシナリオは、マネージャーたちの長年の経験とあまりに矛盾していたため、ほとんど見向きされなかったのです。

そこで、専門家が作った将来の予想シナリオを伝えるのではなく、自分たちがシナリオをつくる「**シナリオ・プランニング**」のグループを設けました。目的は、「ありたい未来」や「あるべき未来」ではなく、**「ありうる未来」を何種類も描き、それぞ**

れに対応する力をはぐくんでおくことです。そして、ミッションや行動原則を共有し、実際の行動はそれぞれに委ねる体制や組織風土を作っておくことでした。

私たちは「未来は現在の延長線上にある」と考えがちです。ですがここでは、「未来はこうなる」という1つのシナリオに決めるのではなく、いろいろな可能性に開かれた状態にしておくことをめざします。1つに決めない、未来はわからないものだという前提を共有するなど、ネガティブ・ケイパビリティが発揮できるしくみをつくったのでした。

シェルが、1972年にいくつものシナリオを描き、それぞれに対応できる体制や組織風土を作ったあとの状況を簡単に紹介しましょう。1973年10月6日に勃発した第四次中東戦争をきっかけに、74年にかけてOPECは米国などへの石油の輸出を禁止しました。第一次オイルショックです。

他の石油メジャーは、各部門の力を抑え、集権的管理を強化するという対応をとります。危機に対する一般的な反応です。

それに対し、シェルは、正反対の対応をとったのです。現地法人が機動的に動き、手に入るいかなる種類の原油でも処理できるよう、製油施設を設計します。また、他社よりつねにエネルギー需要の見通しを低く見積り、その見積りはつねにより正確でした。OPEC以外での油田開発もすぐに急ピッチで進めました。

他社と異なる反応をしたのは、現実の解釈が他社とは異なっていたためです。他社は、一過性の出来事だから、当面何とかしのげばよい、という考えだったのに対し、シェルのマネージャーたちには、シナリオ・プランニングの体験を通して、「供給不足、低成長、不安定な価格」という新しい時代に入っていく自分たちの姿が映っていました。この動乱はその後も続くものとして対応したのです。

その結果、1970年には7大国際石油資本の中で、もっとも弱小だったシェルの位置づけは、1979年には最強の1つに大きく躍進したのでした。

未来はわからない。自分たちの望む未来の姿はあっても、実際にどうなるかはわからない。予測やシミュレーションはできても、わかりきることはない。この謙虚な認識を組織で共有できれば、「こうあるべき」、「こうなるはず」で盲目的に突っ走るのではなく、もう少し現実的かつ柔軟性の高い**「わかりきれない未来」への対峙方法**が工夫できるでしょう。シナリオ・プランニングはその1つの手法です。

個々のメンバーの多様性の発揮を確保し、全体としての幅を広げられるルールを設ける

3M社では、社員に勤務時間の15％を自分自身のプロジェクトに使うように奨励する「15％カルチャー」を有しています。また、グーグル社も勤務時間の20％を自分のプロジェクトにあてる「20％ルール」を設けています。

こういったルールを設けることで、それぞれのメンバーが各自の直感や嗜好・志向を追求することができます。これは本人のやる気やエンゲージメントを高めるだけではなく、企業としては多様な**「エッジ」（既知と未知の狭間）**に開かれた状態であり続けることができます。

組織的にこのような「遊び」を持っておくことで、レジリエンスも高まります。自由に形を変えながら進んでいくアメーバのように、小さなチャンスの兆しも逃さずに、

臨機応変に進んでいくことができます。

また、近年企業では「ダイバーシティ」（多様性）が重視されるようになりました。ダイバーシティがあるだけではなく、それが発揮・活用されているか、という意味で、インクルージョンも大事であるとされ、さらに、イクイティ（公平性）も必須と見なされるようになってきました。

あるグループに、性別や世代、人種といった人口統計学的な多様性があったとしても、全員が同じような物の見方、考え方をしていたのでは、問題解決やイノベーションの観点からは、あまり意味はありません。物の見方や考え方という意味での「認知的多様性」が重要なのです。大部分が「それしかない」と考える中で、「ちょっと待てよ、ちょっと違うのではないか」と考える人がいることです。

そして、他とは違う考え方や物の見方ができる人がいるだけでも足りません。その人が、人とは違う意見をみなと共有できることが必要なのです。『多様性の科学』には、集団は放っておくとすぐに同質化・クローン化してしまうことが示されています。外から、そして自分の内からの「同調圧力」に抗うようメンバーを励まし、「同調圧力」をできるだけ減じ、グループとしての認知的な多様性を確保するには、**ルールを設定しておく**ことが有用です。ルールとして決めておけば、いちいち迷ったり忖度したりせずにすみます。

同書には、「アイディアをカードに書き出し、全員に見えるように壁に貼って投票を行うが、カードには名前は記入しない」、「会議の出席者全員が自分の意見を1ページの文書にまとめ、無記名で提出する。文書はシャッフルされたあと出席者に配られ、それを受け取った人が順不同で読み上げる」といった実際に行われている企業のルール例が紹介されています。これらは、意見と地位とを区別して考えるための戦略の1つであり、意見やアイディアを匿名化することで多様性を確保し、支配型ヒエラルキーに陥るリスクを回避しようというしくみなのです。

即時対応への圧力を減らす

企業や組織としてのネガティブ・ケイパビリティを高めるためにできる重要なことがもう1つあります。スピードや即時対応を求めるプレッシャーが大きくては、いくら「ネガティブ・ケイパビリティ発揮装置」やしくみがあっても、ネガティブ・ケイパビリティを発揮することは難しいでしょう。したがって、**スピードや即時対応を求めるプレッシャーを減ずる**ことが、レバレッジ・ポイント（効果の大きな介入策）となります。

企業においては、株主からの短期的な業績向上のプレッシャーのため、長期的に必要なことや、ゆっくり考えたり実験したりといった本質的な解決策に必要なことができない、という状況が悩みの1つかもしれません。

その状況を意図的に変えた一つの例が、ユニリーバです。2009年にポール・ポールマン氏が2009年にCEOに就任したときのユニリーバは、業績が横ばいの状態が続いており、株主からの業績を向上せよ、という強いプレッシャーにさらされていました。同社ではITシステムや社員教育といった長期的に競争力をもたらすであろう分野への投資をあきらめ、短期的な業績向上を追求せざるをえない状況にあったといいます。

しかし、株主の短期的な要求に合わせて事業展開を継続している限り長期的な価値を作り出すことはできないと考えたポールマン氏は、いくつかの改善の施策とともに、「四半期決算報告の廃止」を打ち出しました。

思い切って、四半期決算報告を廃止し、年次報告へ切り替えた直後には、株価は8%も下落しました。しかし、その後、長期的な視野を持って同社を応援しようという新しい株主が増え、株価も戻して、業績も好調となったといいます。

日本でも、長期的な価値をつくり出したいと、上場廃止を行う企業もあります。ベビー用品メーカーのコンビは2011年、「四半期ごとに結果を出すことが求められる現在の状況だと大胆な政策が打てず、結果として投資家などステークホルダーに迷惑をかけると考えた」として、MBO（経営陣による自社買収）によって上場を廃止しました。

上場廃止をしなくても、長期的な視野で経営できる体制を作れることを示したのが、トマト加工食品の最大手・カゴメです。同社では、2001年から「株主10万人構想」を掲げ、株主優待、工場見学会、「社長と語る会」などを通じてさまざまなコミュニケーションを図り、つながりを築くことで、ファン株主を増やす取り組みを展開してきました。その結果、1998年に6567名だった株主数は、2014年には既に20万人を超え、主婦の株主も多いと言います。

カゴメの株価は、「万年割高」とのこと。株価収益率は明らかに高いのですが、ファン株主は株を手放さないため、株価が落ちないのです。リーマン・ショックや東日本大震災でも、株価は大きく値を崩すことはありませんでした。このように、何があっても株を手放さないでくれるファン株主に支えられていれば、短期の利益追求に走らされることなく、長期的な目線での経営が可能になります。組織としてのネガティブ・ケイパビリティが発揮しやすい環境を自ら作り出した好例ではないでしょうか。

米国には、「ベネフィット・コーポレーション」という、「利益追求」ではなく、「社会貢献」を法人存続の根拠にする株式会社（米国の州政府が定める法律上の企業形態）があります。2010年にメリーランド州で法制化されたのを皮切りに、現在は41州に広がっています。同様の法案が、イタリア、コロンビア、エクアドル、カナダのブリティッシュ・コロンビア州で通過し、他の多くの国や地域でも審議されており、世界中で数千を超える企業が「ベネフィット・コーポレーション」という法人形態を採用しているそうです

「ベネフィット・コーポレーション」とは、①株価の最大化を超えて、公益を含むことが明白であるよう、目的を広げる、②株主だけではなく、ステークホルダーへのインパクトを考慮しバランスをとる、③第三者機関の基準に照らし合わせた年次ベネフィット報告書を公表するもの、と定義されており、企業の目的、説明責任、透明性についての要請は従来型の株式会社とは異なりますが、その他の会社法と税法に関しては全て従来型と同じです。

従来型の株式会社は、株主は利益をあげない経営陣を訴えることができますが、ベネフィット・コーポレーションではその恐れはありません（しかし、社会貢献をしていないと訴えられるかもしれません！）。

目的が短期的な利益だけに定まってしまうと、どうしても短期的な思考・行動になりがちです。ベネフィット・コーポレーションのような会社形態が日本でも認められ、

広がってくれれば、「ちょっと待てよ」と言いやすくなるのではないでしょうか。

将来への希望として、ネガティブ・ケイパビリティも大事にする組織には、ネガティブ・ケイパビリティ文化を醸成するための担当者や、進捗を測るための指標が設けられて欲しいと思います。人事評価・採用試験などでの人の評価項目にも、その人のポジティブ・ケイパビリティだけではなく、ネガティブ・ケイパビリティも入っていて欲しいですね。そしてネガティブ・ケイパビリティの枯渇や弱化は、企業にとっての最大のリスクの1つと見なされることを期待します。

さらに妄想をふくらませれば、CEO（Chief Executive Officer：最高経営責任者）やCFO（Chief Financial Officer：最高財務責任者）、CSO（Chief Strategy Officer：最高戦略責任者）、CRO（Chief Risk Officer：最高リスク管理責任者）などと並んで、CNCO（Chief Negative Capability Officer）も経営会議に出ていることでしょう！

第 8 章

共有ビジョンと“結論を出さないルール”の「場」

～地域ぐるみでネガティブ・ケイパビリティを発揮する～

ここまで、「個人」、「組織・企業やそれを率いるリーダー」にとっての、ネガティブ・ケイパビリティについて、考えてきました。

しかし未来への見通しが不透明で、不確定な状況に直面している現場は、他にもまだあります。

ここでは私が直接経験し、事態の様子を目の当たりにした、地域社会の問題を例にとって語ってみたいと思います。残念ながら、まだそのような意識はほとんど共有されていないようですが、地域社会の運営や行政にとっても、ネガティブ・ケイパビリティの向上は重要だと考えているからです。

多くの場合、地域社会の抱えている問題には、「唯一の正解」はありません。前にも述べたように、「月の軌道を計算する」という問題であれば、「唯一の正解」がありますが、「地域の元気をどう取り戻すか」といった問題には、「唯一の正解」はありません。だとしたら、私たちにできるのは、「少しでも質の高い解決策をつくる」ことだけです。

日本の地域はどこも、人口減少、少子高齢化、地域経済の衰退、財政基盤の弱化など、まさに持続可能性に関わる課題に直面しています。こうした問題は、何も手を打たなければ、時の経過とともに間違いなく悪化していきます。そのため、「何をすれば移住者を増やすことができるか？　どんな支援制度を作ればよいのか？」、「どうすれば企業や観光客に来てもらえるか？　どんなインセンティブを用意すればよいのか？」と、直接数字につながる性急な解決策を求める動きが出てくるのも不思議ではありません。

性急な解決策に飛びつきたくなるときこそ、ネガティブ・ケイパビリティの出番です。「問題だと思っていること（人口減少や地域経済の衰退など）は、どういう構造で起きているのか？」、「自分たちは、そもそも、どういう地域になりたいと思っているのか？」といった、本質的なことを考えることなく、目の前の「できそうなこと（移住奨励金を出すとか、企業誘致の減税制度をつくるとか）」に飛びついても、一過性の対症療法で終わってしまったり、場合によっては、想定外の別の問題を引き起こしてしまったりすることもあるからです。

一口にネガティブ・ケイパビリティを発揮すると言っても、それは容易ではありませせん。議員や住民など、周囲からの「早く何とかしろ」というプレッシャーもあるでしょう。いろいろと手を打っている他の地域と比べて、自分たちが何もしていないように見えるのは避けたいという思いもあるでしょう。数百人、数千人、あるいは数万人もの人々の利害関係、思いの強さ、考えの違いを調整し、他人の批判や同調圧力に巻き込まれず、より質の高い解決策にたどり着くのには、さらに多くの困難を乗り越えなければなりません。そうした中でネガティブ・ケイパビリティをできるだけ高いレベルで発揮するには、具体的な工夫と忍耐強さが必要なのです。

私は10年ほど前から、島根県海士町、北海道下川町、熊本県南小国町、徳島県上勝町など、いくつかの地域でまちづくりのお手伝いをしてきました。自分の役割は、その地域が一定の時間（半年から3年ぐらい）安心してネガティブ・ケイパビリティを発揮できる場をホールドすることなのだと考えています。

ここでは、島根県海士町と新潟県柏崎市の取り組みを紹介したいと思います。

問題の本質を探るには＝まちの共有ビジョンをつくる

島根県・海士町の取り組み

島根県の沖合約60キロメートルの日本海に浮かぶ隠岐諸島のひとつ、中ノ島に位置する海士町（あまちょう）は、地方創生のモデル地域として知られています。

承久の乱（1221年）に敗れた後鳥羽上皇が配流された島でもあり、多くの史跡や独特の伝統文化が残る歴史ある島ですが、全国の離島や中山間地域と同じように、海士町でも過疎・少子高齢化による人口減少が続いています。「このままでは無人島になってしまう」との強い危機感のもと、以前からさまざまなことが試みられてきました。

たとえば、入学者数の落ち込みから廃校の危機にあった隠岐島前高校の挑戦です。

海士町では、「離島だからできない」ではなく、「離島だからこそできる」教育の魅力化を目指す「島前高校魅力化プロジェクト」が2008年に立ち上がり、島外の学生を積極的に呼び込む「島留学」を推進。その結果、島外からの入学者が増え、島内の進学率も上がり、全学年2クラス化を実現するまでのV字回復をしたのです。このような挑戦が、島外からの多くのU・Iターン者を呼び寄せることになり、人口減少にも歯止めがかかっています。

この「すでに成功事例」である海士町から、声をかけられたのは2015年の初めのことでした。

そもそものきっかけは、その前年に発足した第2次安倍改造内閣が、日本の急速な少子高齢化、人口減少に対応し、東京一極集中を是正、将来にわたって活力ある日本社会を維持していくための具体的な方針を打ち出したことです。各自治体に対して、地方版の人口ビジョンと総合戦略を策定することを求めたのです。

この政府からの要請に対して、役場内だけで戦略を作った自治体も多く、コンサルタントに丸投げするところも少なくなかったようです。しかし海士町は、これを自分たちが今かかえる課題解決のチャンスにしたいと考えました。

海士町は〝成功事例〟と目されていたとはいえ、それを主導してきた町政幹部もすでに引退間近であり、「まちづくりに対する機運を次の世代へどうつなぐか」が新たな課題として浮上していました。そこで、この政府からの要請を、次世代を担う若手に海士町の未来を真剣に考えてもらうひとつのきっかけにしようと考えたのです。そこで、そのための住民参加型の会議体を立ち上げることになりました。商工会青年部や役場の若手から有志20名の応募があり、彼らを中心にした「明日の海士をつくる会」(通称あすあま)が結成されます。そのプロセスの設計とファシリテーションの役割を期待されて私が起用されたのでした。

戦略そのものは島の人々がつくるべきものですから、私自身はあくまでアドバイザーとして、プロセスと場づくりに徹しました。半年間、毎月海士町に通って、毎回4時間ほどの会議を行い、そのあとは深夜に及ぶ打ち合わせで事務局をサポートしました

全員でネガティブ・ケイパビリティを発揮しながらの戦略策定プロセスとはどのようなものだったのでしょうか？ 少し長くなりますが、実際の状況を知っていただき

たく、事務局長として参加していた町役場の濱中香理氏が公益財団法人「日本離島センター」の季刊『しま』（244号）に寄せられた文章を掲載します。

戦略会議の進め方については、枝廣氏のアドバイスを受けながら、システム思考を取り入れた方法で行いましたが、そこには他の市町村のやり方にはない、特徴的なプロセスが2つあると思っています。

ひとつは、「バックキャスティング」という手法を用いて、2050年のありたい海士町の姿を描くというプロセスです。現状の問題はひとまず置いておき、ありたい未来を自由に描き、その実現のためには何が必要で何を残さないといけないかを全員で考え、共有します。2050年という35年後の未来に設定したのは、自分たちではなく子どもたちにとってより良い海士町とするためです。

通常は、現状の問題から物事を考え積み上げていく「フォアキャスティング」という手法をとります。即効性はある反面、今をしのげば良いという考えにもなりやすく、問題を未来に先送りする可能性もあります。

例えばあすあまでは、バックキャスティングの考え方で、将来的に文化や暮らしを大切にしている島となっていることが海士町の魅力を高め、観光客や移住者を呼び寄せると考えました。これがフォアキャスティングで考えると、観光客や移住者を呼ぶために一番効果的な方法は何かというところから考えます。即効性を重視しすぎると、やり方によっては将来的に海士町の文化や暮らしを壊すことになります。結果田舎としての魅力を失い、逆に観光客や移住者が減ってしまう可能性もあります。行き過ぎたリゾート開発などはフォアキャスティングの発想によるものです。

もうひとつは、「ループ図」という手法により、ありたい海士町の未来の実現に影響を与える要因や要素を抜き出し、そのつながりを意識しながら好循環を生み出す構造を考えるというプロセスです。まちで起きているさまざまな問題は、ひとつの要因で起きているのではなく、いろいろな要因の積み重ねの中で起きています。好循環を生み出す理想の構造を考えた上で、現状ではなぜそ

好循環を生み出すための「ループ図」

「挑戦する人→海士の課題解決→海士の魅力→意欲あるUIターン→挑戦する人」の場合、「挑戦する人が増えると、海士の課題解決が増え、海士の魅力が高まるので、意欲あるUIターンが増え、さらに挑戦する人が増える」となる。

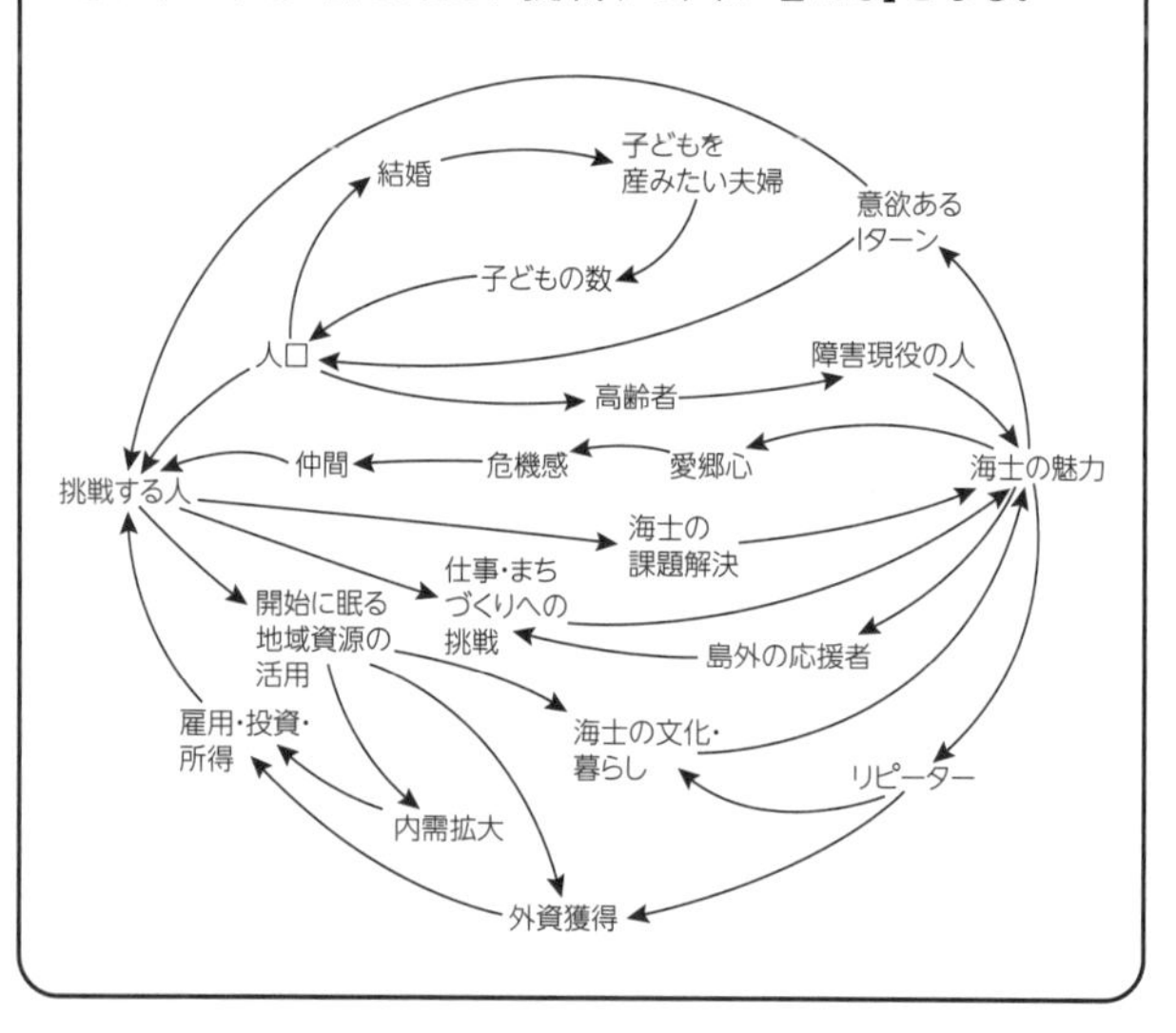

の循環がうまくいっていないのか、その循環を促すにはどうすればいいのかを考えます。

このループ図は、あすあまでこれまで作成してきたさまざまなループ図を合体させ、簡略化したものです。あすあまではさまざまなテーマにより最終的に30を超えるループ図を作成しました。1つのループ図を仕上げるには、最低でも2時間はかかります。膨大な時間をかけながら、ありたい海士町の未来を実現し、好循環を生み出す構造を考えていきました。13回行った会議のうち、第3回から第8回会議まではこうした「バックキャスティング」と「ループ図」の作業に費やしました。

こうして好循環を生み出すループ図を作成していくと、循環を阻む要因も見えてきます。例えば、先ほどのループ図にある「⑴挑戦する人→⑵海士の課題解決→⑶海士の魅力→⑷意欲あるＵＩターン→⑴挑戦する人」の場合、これまで海士町では町長などの「挑戦する人」が⑴→⑵の流れをつくり、その後の好循環を生みだしていましたが、世代交代により「挑戦する人」がいなくなると

(1)→(2)の流れがなくなり、それ以降の循環も止まってしまいます。これは挑戦による「輝きの連鎖」がなくなることを意味しますが、その要因は、じつは次世代を担う自分たち自身にあるというところに気がつきます。自分たち自身が挑戦する人になれていないことこそが問題であり、なぜ自分たちは挑戦する人になれていないのか？挑戦する人になるためには何が必要なのか？ということを具体化しながら、プロジェクトを考えていきました。

このように循環を止める要因を探していくと、その要因は意外と身近なところにあり、大半は自分たち自身の問題であることに気がつきました。当初は「どうすればよいのかわからない」「何から手をつけてよいのかわからない」という迷いもあった中、いつしかまちづくりの問題を自分事として考えるようになりました。

あすあまでは、当初からメンバーで確認していたことがあります。計画づくりはゴール（目的）ではなく、むしろスタート（手段）であるという認識です。いくら完成度の高い計画をつくっても、それを実現するものがいなければ計画の意味がありませんし、誰かがやってくれるだろうという考えは依存しか生みません。まちづくりを他人ごとではなくいかに自分ごととして考え進めていくか、このことは当初からメンバーで確認しながら進めてきたつもりでしたが、よりよい海士町にしていくためには、結局は自分たち自身が変わらなければならないことに気づきました。そうした気づきもあり、あすあまでは最終的に14のプロジェクトが立案されましたが、メンバーそれぞれが担当のプロジェクトを持ち、実際に動き始めようとしています。

このように、あすあまでは13回におよぶ会議のプロセスを経ながら議論を重ね、その計画は『あすあまチャレンジプラン』として、9月27日に海士町に提出されました。手交式という形をとり、メンバー1人ひとりが町長の前で自分のプロジェクトを発表し、想いを伝えての提出となりましたが、その時の涙を潤ませながらも喜んで聞いていた町長の顔は今でも忘れられません。「スタートの時と顔つきが変わった。自分たちでやってやるんだという顔になっている。もうわれわれじゃない、これからの海士町は君たちにかかっているんだ。よくそここまで成長してくれた」。

海士町が取り組んだ手法は「エダヒロのまちづくり　ホップ・ステップ・ジャンプ」と私が名付けたプロセスです（詳しくは『好循環のまちづくり』（岩波新書）を参照ください）。

ホップ：バックキャスティングでありたいまちの姿を描く
ステップ：システム思考で、ありたい姿に近づくための好循環の構造をつくる
ジャンプ：構造を変えるための施策やプロジェクトを考え、進めていく

「ホップ」の**バックキャスティング**とは、「未来のありたい姿」をまず考え、未来を起点にして解決策を逆算していく手法です。この際に重要なのは、時間軸を延ばすこと、そして、現実に迫っている問題はいったん脇に置いてしまうことです。そうすることで、目先の問題にとらわれず、みんなでめざしたい**「ありたい姿」＝共有ビジョ**

ンを描くことができます。

バックキャスティングによるビジョンづくりは、具体的な解決策や正解がすぐには分からないケースに適しており、現状の延長線上ではない、新しい発想を生み出すパワーを有しています。まさにネガティブ・ケイパビリティと符合する手法なのです。

続く「ステップ」では、すでに解説した「**システム思考**」によって、**ループ図**を描きながら問題点の全体的な構造を見える化し、問題解決を図るためには、構造のどこをどのように変えればよいかを考えます。

そして最後の「ジャンプ」になってはじめて、具体的なプロジェクトや打ち手を考えます。

もちろん、実際にはすんなりと進んでいくものではありません。

人は、課題に向きあうと不安になります。そしてその不安を抑えるために、すぐに何らかの解決策を探したくなります。ビジョンやループ図を描く作業をしているときにも、「だったらこうしたらいい!」、「こんなこともできるんじゃないか」とアイディアや提案が出てしまい、話が横道にそれてしまいがちです。一度そうなると、他からも別の意見やアイディアが出始めて、どんどんと今やるべき作業から離れていってしまいます。

そこで私の出番です。「どうやってやるかはあとで議論しましょう。あとで議論したいことは付箋に書き出して貼っておきましょう。いまはビジョンを描く（ループ図を描く）時間ですよ」と声をかけてメンバーを引き戻します。

気になることや議論したいことは次々と出てきますが、つど書き出しておけば、忘れる心配もなくなります。メンバーも安心して疑問や議論したいことを**サスペンド**（保留）しておくことができます。拙速な解決策を求めて不毛な議論に陥ることなく、ビジョンを描き、構造を考えつづけることができるのです。

また、最初の会議で気づいたことがありました。

会議のメンバー選定時に、地元出身者と移住者が半々になるようにしてもらったのですが、都会からの移住者はぱっと考えてぱっと口にすることが得意な人が多い。一方、地元の方は、じっくりじっくり考え、言葉を選びながら、訥々と話します。このような議論に参加する経験があまりなかったメンバーは、ポンポンと移住者メンバー間で飛び交う議論に「とても入っていけない」と尻込みしてしまうこともありました。

そのことに気づいたので、会議の進行にも気を配りました。あえて自分自身の話すスピードを落とし、問いかけに対して考えてもらう時間を長めにとったり、ときには地元メンバーだけのグループをつくって、じっくり話し合ってもらったり。すべてのメンバーが自分のペースで安心して考え、意見を出し合えるよう、**場づくり（器をホールドする）**に努めました。

バックキャスティングでありたい未来のイメージを作り、一つを作るのに2時間以上もかかるループ図を30以上描く作業に、チームメンバーは何度もミーティングを繰り返し、何十時間もの時間を費やしました。自主的な集まりまで含めれば、100時間を超えていたでしょう。

そうした辛抱強い作業時間を経て、共有ビジョンを描き、そのありたい姿に近づくための好循環の構造をループ図で示し、その好循環を創り出すために、「自分は何をするか」を最終的に発表したのでした。このプロセスを経て得たものは、町長に提出した『あすあまチャレンジプラン』だけではありません。何よりも、メンバーの一人ひとりがこれからのまちづくりの主体者であるという意識を持つようになり、しかもまちづくりを一緒に進めていく仲間を得たことです。町長の願っていたように、これからのまちづくりのためのチームが生まれたのでした。主体者意識やチームは一夜にして育てることはできません。まさにネガティブ・ケイパビリティを発揮できたからこその成果だと言えるのではないでしょうか。

最終回の振り返りで、最初はほとんど発言しなかった地元メンバーがにっこりしながら、「あすあまに参加したおかげで、前よりも自分の意見を発言できるようになりました」と言ってくれて、とてもうれしく思いました。

複雑に対立する意見を、未来を拓くものに変える

新潟県柏崎市、原発の賛否を超えて

海士町のまちづくりのお手伝いを始める数年前、3・11後の柏崎市で、まさにネガティブ・ケイパビリティを要するプロセスを3年間にわたってお手伝いしました。原子力発電所の賛否について、住民の間で激しい意見の対立が長く続いてきた、とても難しいケースです。

柏崎市は地域産業として長く原子力産業に依存してきました。しかし東日本大震災と東京電力福島第一原子力発電所の事故により、日本のエネルギー政策が大きな転換期を迎える中、柏崎市も原発との向き合い方について新たな局面に立たされます。これからのまちづくりをどうしたらよいのか、立場や意見の違いを超えて話し合いの機会を作りたいと考えた柏崎市は2012年度に、「明日の柏崎づくり」事業を始めることにしました。事務局・ファシリテーターとしてその事業を手伝ってほしいとの依頼を会田市長（当時）から直接いただいたときには、とても驚きました。

2012年4月に始まった「明日の柏崎づくり」事業では、市民に向けての「これからの柏崎とエネルギーを考える」シンポジウムの開催に向けて、まず実行委員会を立ち上げました。委員は、商工会議所や青年会議所のメンバー、大学の先生やお医者さん、地域の自治会長、約10年にわたり原子力発電所と地域住民との対話づくりに関わってきた方やPTAの代表者など、年齢も立場もさまざまな8人で構成。原発推進派も、反対派も、中間派もいます。

第1回の実行委員会は、しーんと静まりかえって、私が問いを発してもだれもほとんど答えてくれないという雰囲気で始まりました。社会的合意形成の第一人者の先生が「原発だけは合意形成は無理だから手を出さない方がいい」と言っていた言葉が思い出されます。実のところ、原発をめぐっての議論では、賛否両論とはいいながら、推進派・反対派はお互いに話をすることはなく、自分たちの間だけで気勢を上げ、相手側を批判・非難するだけ、ということが常だったからです。

また、柏崎市の当時の事情もありました。人口9万人の小さな町です。自分は原発に反対でも、お隣さんは東京電力の社員だったりします。過去には原発誘致をめぐり、市民同士のつらい対立もありました。「原発については語らない」ことで、近隣住民とも折り合いを付けて、日常生活の中では諍いが起こらないように暮らしてきたのです。不用意に発言をすれば、たちまち感情的な激しい争いになってしまうかもしれません。様子をうかがいながら、慎重になってしまうのも無理からぬことです。

しかし、このような緊張感ある雰囲気では、議論がはかどりません。お互いが安心して、心置きなく発言ができるような、安全な議論の「**場**」をはぐくむ必要がありました。

「原発や再稼働の可否を議論しても分裂したままだ」ということがわかった私は、議論のトピックを変えました。「50年後に、どのような柏崎市であったらよいと思いますか？」と問うたのです。後に海士町でも行った、**バックキャスティング**の手法です。そして、8人の委員でミニワークショップを行いました。

そこでわかったことは、参加者自身をびっくりさせました。「50年後のありたい柏崎の姿」は、原発の賛否に関わらず、一致していたのです！

それは、「子どもや孫たちが、誇りを持って帰ってこられるまちでありたい」というものでした。高校卒業後、進学や就職のために、まちを離れる若者が大半です。それは仕方がないとしても、戻れるまち・戻りたいと思えるまちでありたい。原発推進派は「そのために原発が必要だ」と考え、原発反対派は「そのために原発はあってはならない」と考えていたのです。自分たちは、原発推進派も反対派も、**目指したい目的は同じだった、ただそれぞれが必要だと思う手段が違うだけなのだ！** このことにみんなが気づいたことは、議論を前に進める大きな一歩となりました。委員会として依って立つ、共有すべき目標が見えたからです。

その後の委員会では、「危険な原発をなぜ推進するのか」、「町の経済には必要な原発になぜ反対なのか」と激論となることもありました。しかし、どれほど激論となっても、将来のビジョンを共有できていたために、自分の意見をただぶつけ合うだけの不毛な議論にはなりませんでした。「めざすまちの姿は同じなのだ」ということが確認できていたことで、お互いの間に信頼関係が芽生えていたのです。**たとえ議論が平行線のままで終わったとしても、相手の意見を何も聞かず自分だけの考えのままで終わる平行線と、相手の考えや思いがわかった上での平行線では、意味合いが全く違ってきます。** その場で結論が出なかったとしても、未来にむかって可能性が開けた建設的な話し合いの「場」となっていたのだと思います。

ちなみに、毎月の実行委員会は、「東京からの移動時間を考えて」という口実（？）

で、夕方に設定してもらい、終了後には毎回懇親会も設けてもらいました。要するに〝呑みニケーション〟なのですが、普段着の自分をさらけ出して本音を語り合うのには最適です。これも一種の、対話の「場」といえます。

こうしてお互いに結論はいったん棚上げして、じっくりみんなの話を聴く、意見の違いを乗り越えて**共有ビジョン**に近づいていくための時間を積み重ねることができました。

さて、市民向けのシンポジウムを開催することを目的に始まった委員会でしたが、地域に不要な混乱を招くのではないかと、開催自体に懐疑的な考えをもつ委員もいました。しかし、委員会での議論を重ねるうちに、原発に対する考えや立場は異なっていたとしても、「柏崎の将来を思う気持ち」や「何かを変えたい」、「立地地域の声を国や消費地に伝えたい」という思いは同じであることがわかりました。シンポジウム開催についても、それを共通の目標として確立することができました。

次に話し合ったのは、市民にとっては、どのような場をつくれば多くの市民に参加してもらえるか、立場や考えの違う人たちが安心して話すことができる場をどうやったら作れるか、ということです。

その結果、「まちの未来を考える」という目標を踏まえた上で、まず柏崎の過去からの経緯、そして今を知るのがよいだろうということになり、外部から有識者を招くのではなく、地元の人々に登壇して語ってもらうこととしました。「委員自らが地元住民としての思いを伝えることで、市民一人ひとりに自ら考えてもらおう」というシンポジウムの骨子が決まりました。同時に、政府や電力消費地の人たちにも議論を聞いてもらい、立地地域への理解を深めてもらいたいと考えたのです。

2012年9月28日、「これからの柏崎とエネルギーを考える」シンポジウムが柏崎市産業文化会館で開催され、約250名の市民が参加してくれました。1日目のパネルディスカッションでは、柏崎の歴史や原発を誘致することになった背景、産業構造の変化などを市の職員から説明してもらい、実行委員会のメンバーを中心に市民が登壇して、自分の立場や考え、これからの柏崎に期待することなどを自分の言葉で語りました。

原発誘致の時からずっと推進派の中心を担ってきた人も、地元で原発反対運動を数十年にわたり展開してきた人も一堂に会して議論する初めての試みです。当初は心配や不安の声もありましたが、自分の思いを率直に伝え、他の人の考えに冷静に耳を傾ける、これまでにない会となりました。

この時もまず、ここは「**結論を出す場ではない**」ことを最初に強調して確認しました。お互いにお互いの意見をしっかり聴くこと、どの考え方は一緒で、見解が異なるのはどこか、それは何が違うからか、ということを丁寧に見ていく、というプロセスで進めました。

司会役の私は、問われれば自分の意見も言いますが、基本的には、議論を賛成・反対のどちらかに持っていくことはせず、偏りがないよう、だれの意見もしっかりみんなで聴き取ることができるよう意識して、ファシリテーションを行いました。

時にはやや強い意見も出ましたが、委員会のメンバーはしっかり自分の主張はしながらも、他の委員の発言にもしっかり耳を傾け、活発な意見交換が行われたのです。

参加者のアンケートには「原発賛成派・反対派・中立派が一緒に議論をすることは初めてであり、大変よかった」、「こんなに静かに議論できる場があることに驚いている」、「問題・課題意識の共有、新たな意見を知る有意義な取り組み」といった感想が多数あり、対話の場の継続に大きな期待が寄せられていることがわかりました。

2日目は「柏崎の未来をみんなで語ろう、考えよう」と題し、市民の「井戸端会議」を開催しました。約60人が参加して、**「方法論や実現可能性の有無は考えず、相手の話を聴く」というルール**を私から説明したあと、「柏崎の好きなところ」や「柏崎がこんなまちになったらいいなと思う夢」を小グループでたくさん挙げていきました。再びバックキャスティングの手法を用いて、望ましい未来のイメージについて話し合い、意識の共有を図ります。

ここでも「ここは結論を出す場ではない」ことを繰り返し伝えます。他人の意見に耳を傾け、自分の意見はそれとして持ちながら、異なる意見と出会い、それを受け容れるという経験をしてもらう事が大事です。

また、一人の人物が話し合いの場を独占してしまわないよう、私自身も目を配りながら、参加者のみなさんにも注意していただくよう念入りにお願いもしました。

その後、いくつかの小グループでお互いの意見を共有し、全体で発表を行いました。

世代も立場も異なる市民が、和気あいあいと柏崎の魅力を語り合う場は、市長も驚くほどの盛り上がりをみせました。何十年も言葉を交わしたことがなかった、それぞれ強硬な原発推進派・反対派がたまたま同じテーブルになり、会が終わったあとも語り合っている姿もありました。

この日のアンケートには「相手の話を聞く、否定しないという会話のルールがしっかりしていたのがよかった」、「若い世代の人たちに勇気をもらった」、「期待以上だった」といった感想が寄せられました。立場を超えて共通の目標に向けて対話するということ自体に新鮮な感動を抱いた人が多かったことがわかります。

この翌年には、事業2年目の課題として、市民一人ひとりが自ら情報や知識を得て、判断できるようになるにはどうしたらいいか、「誰かが与えてくれる」のではなく、「ワガコト」として柏崎のこれからを考えてほしい、という問題に取り組みます。

前年度の振り返りから、「エネルギーについて考えたこともない」、「よくわからない」という人たちにも参加してもらえる会にしたいと考え、エネルギーの専門家ではなく、難しいテーマもわかりやすく話すことで人気のジャーナリスト、池上彰氏を講師に招き、エネルギーや原発をめぐる世界情勢の話に耳を傾けました。

その池上彰氏は、著書『池上彰が読む小泉元首相の「原発ゼロ」宣言』のあとがきに、柏崎でのこの事業についてこのように書いて下さっています。

委員の顔ぶれを見ると、商工会議所や商工会など原発推進派もいれば、反対運動をしてきた人たちも入っています。

意見の異なる人たちですが、地元を愛する気持ちは同じ。立場を超えて、議論を続けています。環境ジャーナリストの枝廣淳子さんがコーディネーター役を務めて、勉強会も開いています。

この11月、私も招かれて、委員の人たちと会いました。

賛成派と反対派は、それまで犬猿の仲だったのですが、たびたび会を重ね、ときには一緒に酒を酌み交わすことで、お互いの間に信頼が生まれてきています。

「君の意見に賛成はしないが、君がそう考える気持ちはわかる」

賛成派も反対派も、異口同音に、こう語っていました。

「君の意見に賛成はしないが、君がそう考える気持ちはわかる」とお互いに言えるようになるまでには、共に重ねてきた時間が必要でした。お互いに葛藤を抱えながら、自分の確固たる意見は持ちつつも、結論や判断を急がない。自分とは異なる意見も丁寧に聴き、自分の意見も丁寧に伝え、思考停止することなく、異なる見方や考え方に対する共感や寛容度を上げていく——言ってみれば「**公開ネガティブ・ケイパビリティ大会**」(!)だったのだ、と今振り返って思います

この年にはほかにも、地元で再生可能エネルギーに取り組む事業者の話を聞くシンポジウムのほか、シンポジウムを開催して市民の来場を待つだけではなく、実行委員やファシリテーターが出向いて行う「エネルギーに関する出前講座」も実施しました。自治会や大学、経済界など、小さな規模でもお互いの顔が見える安心な場をつくり、エネルギーに関する疑問や不安、これからの柏崎に必要だと思うことなどをざっくばらんに語り合いました。

そのどこでも、最初に「**今日は結論を出す場ではありません。お互いに自分の考えや思いを共有し、耳を傾けるための時間です**」と伝えました。**「ざっくばらん」はネガティブ・ケイパビリティなしには実現しない**のです。

「明日の柏崎づくり」事業の最終年度、3年目となる2014年度の最初に、実行委員会でこれまでの振り返りを行いました。「続けること、行動することで別のものが見えてきた」、「自分たちの思い込みに気がついた」、「意見の違いはあるが思いは同じ。安心して話せるようになった」などの声が出てきました。

いよいよ原発にも関わってくる重要課題「柏崎市の産業」をテーマに事業を展開していくこととなります。

9月には、「生き残りをかけて～柏崎の産業のこれから」と題したシンポジウムで市長や柏崎商工会議所会頭、柏崎につながりのある大手企業の経営者などの参加を得て、「明日の柏崎の産業を考えるパネルディスカッション」を開催。10月からは、「明日の柏崎の産業を考える勉強会」を4回にわたって実施しました。

3年前にこの事業が始まったころは、「再エネの可能性について考えるなんて、原発を否定する気か、けしからん！」という考えの人も少なくなく、原発や再稼働の可否は置いておいて、別の産業の可能性を考えること自体ができない状況でした。それが実現できたのは、この3年にわたって、市長と実行委員会のリーダーシップのもと、地域全体でネガティブ・ケイパビリティが発揮できるような「場」を作り出したからです。性急な判断や思考停止を却けて、答えの見えない不確実で不安な状況の中で耐え続け、葛藤を抱えつつもお互いの考えに耳を傾け、考え続けてきたからこそ拓けてきた可能性なのだ、と思います。

その後も柏崎市では、「明日の柏崎づくり事業」の実行委員メンバーや市内の青年実業家たちがさまざまな活動を継続するなど、思いは次世代までつながっていっています。

このような息の長い活動も、柏崎市と市民のみなさんが3・11後の3年間にわたって、ネガティブ・ケイパビリティを発揮しながらじっと耐えてともに考え続けたことが土台になっているのではないかと思うのです。

ここまで、自分がお手伝いをさせていただいた海士町、柏崎市の事例を紹介しました。最も大事なことは、繰り返し述べてきたように、**「ここは結論を出す場ではない」**と何度も強調したことです。結論に飛びつきたい衝動を抑え、自分と意見と他人の意見を一緒に**受け容れる**。相手の意見や思いもちゃんと尊重しつつ、自分の意見も丁寧に説明して聞いてもらう。そういうことが可能な「**場**」を作り、**ホールド（維持する）**ことが鍵です。こうした対話の中でこそ、信頼関係が生まれます。信頼関係があれば、自分とは異なる受け容れ難い考えでも、即時却下するのではなく、ひとまず自分の中にホールドできるのです。

当時の私は、「ネガティブ・ケイパビリティ」という言葉は知りませんでした。でも、お手伝いしていたことはまさに、「どうにも答えの出ない、どうにも対処しようのない事態に耐える能力」、「曖昧さやパラドックスと共存し、それを許容する能力」、つまり、「新しい思考や認識の出現を可能にするために、不安や恐怖に耐え、確実性のない場所にとどまる能力」を、それぞれの地域が発揮できるよう、プロセスをデザインし、場をホールドすることだったのだと思います。

これから、日本の地域社会はさらに多くの複雑困難な問題に直面するでしょう。浮き足立ってしまって、「とりあえずの解決策」に飛びつきたくなるかもしれません。だからこそ、これからの地域のレジリエンス、つまり、外部からの衝撃にもしなやかに耐え、立ち直る力は、地域のネガティブ・ケイパビリティの強度に左右されるのではないか、と思うのです。

目の前の〝問題〟や〝解決策〟に飛びつくのではなく、思考停止のポジション・トークに陥るのでもなく、「唯一の正解」を求めて互いに戦うのでもありません。**多様な人々の意見に互いに耳を傾け、「少しでも質の高い解決策が生まれる」可能性をもつ「場」を形成し、維持する。**そんなプロセス自体が、先に進んでいくために必須の信頼関係を築いていきます。

信頼関係は一朝一夕には築けません。そのときにやるべきことをしっかり進めながらも、地域がネガティブ・ケイパビリティを発揮して未来を拓いていけるよう、そのための時間とプロセスを作り、守っていく努力が必要なのです。

第 9 章

東洋思想の叡智とネガティブ・ケイパビリティ

私は10数年まえから、東洋思想の第一人者・田口佳史先生のもとで、中国古典の勉強を続けています。東洋思想にはすばらしい知恵や有益な指針がいっぱいありますから、少しでも多くの方に伝えたいと、「論語」、「大学」、「中庸」、「孟子」、「貞観政要」、「言志四録」などのセミナーを開催し、大学院大学至善館でも「東洋思想に見るリーダーシップ」という科目も担当しています。

中国古典を中心とする東洋思想でも（その言葉は使われていないにせよ）ネガティブ・ケイパビリティが大事なものだと位置づけられています。その一端をご紹介しましょう。

谷川浩司氏と河合隼雄氏の対談

臨床心理学者である河合隼雄氏と、史上最年少で名人となり、永世名人（十七世名人）である棋士の谷川浩司氏が対談を繰り広げる『無為の力―マイナスがプラスに変わる考え方』には、臨床心理学者として、また棋士としての立場から、（その言葉自体は出てきませんが）ネガティブ・ケイパビリティの重要性が繰り返し出てきます。そして、その背景に、『老子』をはじめとする東洋思想と重なるものがあることが感じられます。同書から抜粋しながら紹介します。

（谷川浩司氏）

特に将棋の場合、日進月歩の進化を遂げていますから、昔の定跡や棋譜をいくら覚えていても、かえってそれに足を取られてミスをしかねません。過去の定跡などにこだわっていると、新しい発想ができなくなるという難点もあります。

人間誰しも、「このやり方でうまくいった」という経験をすると、その時のやり方にこだわりを持ってしまって、新しい挑戦ができなくなってしまうことになりがちですね。自分の得意戦法だけにこだわらず、苦手な戦法や未知の戦法に踏み込んでいく。そうした姿勢がないと、進歩も生まれないと思います。

情報を分析して対局に臨むことは必要ですが、対局が始まったら、いったんそれをまったく白紙にして勝負に取り組まないと、将棋が広がりを見せない。情報や理論だけにとらわれていては、本当に強くなることはできないと思います。

ちょっと中座して他の対局を覗きに行ったりすることもありますよ。そうすると、また白紙に戻って盤面を見られるようになって、そこから新しい手が出てくるということがありますね。矛盾した言い方ですが、集中力を他に逸らすことで逆に集中力を高めるということがある気がします。

（河合隼雄氏）

思考というのは、方向性を持っていないと形にならないんですね。ですから、ある程度方向性を持って考えるのは当然なんだけど、そこに没入してしまうと、今度はその方向性から抜けられなくなってしまう。別の角度から考えることができなくなってしまうんですね。だからいったん席をはずしたりして、一度その方向性から身を離してみることが必要なんでしょう。

カウンセリングの現場でも、クライエントが来られて話を聴くでしょ。その時に、もちろん集中して聴くわけですが、その時の集中力というのは、何かひとつの方向に収斂していくような集中の仕方ではなくて、言ってみれば方向性を全部捨てた集中力なんですよ。精神分析学を始めたフロイトは、そのことを「平等に漂える注意力」と言っています。

僕らが心理療法を勉強している時によく言われたのは、「理論は勉強しなくてはいけない。しかし本当にクライエントを目の前にした時は、理論は全部忘れなさい」。

本を読んだらそこに出てくる理論や考え方が好きになるんですよね。そしてそれが好きになると、どんな人が来てもその理論で治せるように思えてくるんですよ（笑）。「この理論にぴったりの人が、ちょうどええところに来た」なんて思うんですね。それで理論どおりにやろうとすると、必ず失敗します。

「病気を治したい」「よくしたい」というふうにこっちがあらかじめ方向性を持って向き合ってしまうと、治療の枠組みが狭くなってしまう。

「ボーッと聴く」というのは、カウンセリングではとても大事なことです。実はボーッと聴いている背後にはすごいエネルギーが使われているのですが、それがなかなかできないんですね。エネルギーを使わないで単にボーッとしているのでは全然駄目です。それでは素人と同じなんですね。

私のカウンセリングの考え方の基本は「無為」ということです。「何もしない」ということですね。それも「何もしないことに全力を傾注する」。

「何もしないことに全力を傾注する」。それはものすごいエネルギーのいる仕事ですよ。よほどエネルギーがなかったらできないです。

「何もしない」というのは、一見非生産的に見えますけれども、実は新しいものを創造する前の大事な過程なんですね。何もしない状態の中からこそ、普通の状態では容易に動かないものが動く可能性が出てくるわけですよ。普段僕らが考えることといったら、例えば何かを手に入れたいからお金をどこから工面しようとか、どうやって値引きしてもらおうとか、そんなことですね。つまり目に見える方向性があって、そればかり考えている。そういう時は、どんなに一生懸命考えてもその方向性に関係することしか動かないわけです。ところが「何も方向性がない」「何も目標がない」という状態からは、普段では考えつかない途方もないことが出てくる可能性があるわけですよ。その途方もないことが起きるのが面白いわけです。

将棋の場合でもそうでしょう。定跡を知っていないと話にならないけれど、定跡にこだわっていたら面白い将棋にならない。それを全部取っ払うから面白い手が出てくるんですね。だから、なんにもこだわらない状態というのが大切なんです。

今の人はみんな、「何かしなければ」と思い過ぎるんですね。何かをしていることが当たり前で、何もしていない人はサボってると思われるのが現代ですけれども、時々は何もしないでボーッとしているという時間を持ったほうがいい。普通の人たちがそういう時間を積極的に持つようになったら、だいぶ違うと思いますね。

「方向性を全部捨てた集中力」、「何もしないことに全力を傾注する」、「なんにもこだわらない状態」——これらのキーワードは、ビオンのいう「記憶もなく、理解もなく、欲望もない状態」とも重なります。そして、河合氏の「「何もしないこと」「ボーッとしていること」は、実はすごくエネルギーがいること」という指摘には、はっとさせるものがあります。「何かをしようとすることを止め続ける力」、「思考が方向性を持とうとすることを止め続ける力」というのは、まさにネガティブ・ケイパビリティそのものです。

「無為」

そして、河合氏はそれを「無為」だと言います。単なる「何もしないこと」ではなく、「全力を傾注した、何もしないこと」です。

「無為」を中核的な思想としているのが中国古典の『老子』です。「無為を為して、為さざるなし」という『老子』の文章を見たことがあるかもしれません。「何もしなくて、できないことは何もない」と言われてもよくわからない。頭を抱えていた私に、田口佳史先生はこのように説明してくれました。

精神科医であり心理学者だったユングが言っていたことだが、老荘思想の読み手であるユングも「無為」ということがよくわからなかったそうだ。そんなある時、一歳の孫が遊びに来た。ようやく歩けるようになったという。そこで、「歩けるようになったのか。歩いてごらん」と、よちよち歩くその後ろをつかずはなれず、転んだらすぐ引き起こしてあげられるように、全神経を孫の後ろ姿に集めて、ずっと一緒に歩いていった。

そのとき、「これが無為なんだ！」という発見があったという。つまり、緊張感を持って見守るということが無為なんだ、と。「ああしろ、こうしろ」、「こうやらなきゃいけない」と言えば言うほど、孫は戸惑ってしまう。他人は、そう言われれば言われるほど、混乱する。従って、「緊張感を持って見守る」ということが、すべての基本なのだ。

リーダーのあり方とは、緊張感を持って見守ること。そうすると、すべて流れが目に入ってくる。無為に、つまり、作為的なことは何もせずに、緊張感を持って見守って、時々方向性を修正するための問いを発する。そうすれば、自ずと然りという結論になるということを言っている。この「無為自然」が老荘思想のリーダーシップ論の基本だ。

先ほどの「無為を為して、為さざるなし」が出てくるのは、『老子』の「忘知第四十八」というところです。

学を為せば日に益し、道を為せば日に損す。之を損して又損し、以って無為に至る。無為にして為さざる無し。天下を取るは常に無事を以ってす。其の有事に及びては、以って天下を取るに足らず。

学問を修めれば日に日にいろいろな知識が増えていき、道を修めれば日々にいろいろな欲望、知識、余計なものが減っていく。そういったものを減らし、さらに減らすと、無為の境地に達する。何も為さずにいて、為し得ないことは

ない。天下を治める者は常に、事を為さずにする。事を構えるようになったら、
とても天下を治めることなどできない

「知を忘れる」というタイトルからして刺激的ですが、ここで「学問を修めてどんどん知識が増えていく人たち」は儒家を指しているのでしょう。儒家の代表である孔子の言行録である『論語』が「子曰く、学びて時に之を習ふ、また説（よろこ）ばしからずや」で始まっているように、儒家は「学ぶこと」を重視します。やるべきことをしっかり学び、実行して、国を治め、天下を平らかにするという、大事業を目指すべきだ、という考え方です。

老子は、そうではない、知識も欲望も含めて、どんどん減らしていくのだ、そうすれば作為的なことはしない・考えないという、無為の境地に至る、それでこそ、天下を治めることができるのだ、というのです。

老子の言う「無為自然」とは、人の手を加えないで、何もせずあるがままにまかせること。作為なく、宇宙のあり方に従って自然のままであることです。知識や欲があ

ると、河合氏が言うように、思考や言動に「方向性」が出てきます。そうすると、人為的なものになってしまい、宇宙のあり方（＝道）とは異なるものになってしまう。だから、知識や欲を働かせずに、あるがままに生きることがよいのだ、というのです。

そして、減らしていく、何もしない、といっても、ただ怠惰に受動的に、というのではなく、緊張感を持って、増やさないように気をつけ、減らしていく、「何もしないことに全力を傾注する」ということなのです。「物事に執着しない」というと、もともとあっさりしていて何かに執着するエネルギーをもたない、というイメージもありますが、何かに執着しがちな人間の傾向に負けずに、つまり「散らしてしまうこと」なく、「執着していない状態をしっかりホールドする」ことだと思うと、それは大変大きなエネルギーを要することなのです。

「心の置き所」

河合氏の「方向性を全部捨てた集中力」というキーワードから、沢庵宗彰禅師の

「心の置き所」が思い起こされます。「心の置き所」は、沢庵禅師が柳生但馬守に向かって剣禅一如を説いた『不動智神妙録』に出てくる言葉です。とらわれないという意味の「不動」、わかりやすい千手観音の例とともに、『沢庵不動智神妙録』(池田諭 訳)から抜粋引用して紹介しましょう。

諸仏不動智

諸仏不動智という言葉があります。不動とは動かないということ、智は智恵の智です。動かないといっても、石や木のように、全く動かぬというのではありません。心は四方八方、右左と自由に動きながら、一つの物、一つの事には決してとらわれないのが不動智なのです。

何かを一目見て、心がとらわれると、いろいろな気持や考えが胸のなかに湧き起こります。胸のなかで、あれこれと思いわずらうわけです。こうして、何かにつけて心がとらわれるということは、一方では心を動かそうとしても動かないということなのです。自由自在に心を動かすことができないのです。

千手観音だとて、手が千本おありになりますが、もし、弓を持っている一つの手に心がとらわれてしまえば、残りの九百九十の手は、どれも役にはたちますまい。一つの所に心を止めないからこそ、千本の手が皆、役に立つのです。

心の置き所

心をどこに置いたらよいか。

敵の動きに心を置けば、敵の動きに心を捉えられてしまいます。敵の太刀に置けば、敵の太刀に捉われる。敵を切ろうということに心を置けば、切ろうとすることに心を奪われ、自分の刀に心を置けば、自分の太刀に心を取られ、切られまいということに置けば、その切られまいということに心を取られるのです。人の構えに心を置けば、また人の構えに心を捉えられてしまいます。何とも、心の置き場所は見つからぬものです。

「それでは、どこに置いたらよいのでしょう。」

「どこにも置かぬことです。そうすれば、心は身体いっぱいに行きわたり、のびひろがります。手を使う時には手の、足が肝要のときは足の、眼が大切な時は眼の役にたち、身体中どこでも必要に応じて、どこでも自由な働きをすることができるのです。

もし、心の置き場を一つの場所に定めて、そこに置くなら、そこに心を取られて、役には立たないことになります。あれやこれやと、心の置き場を思案すれば、その思案に心を取られるのですから、思案や分別をきれいに捨てて、全身に心を投げ捨てて、特定の場所に止め置こうとしないことです。そうすれば、身体の各所の必要に対応して、確実に役に立つことになるはずです。」

「心をどこにも置かない」ということは、フロイトが「平等に漂える注意力」と呼んだものと重なるところがありますが、それ以上に、**何にもこだわらない、拘泥しない状態で居続ける**、ということです。沢庵禅師なら、「注意力を平等に漂わせよう」と思うこと自体、心が取られてしまっているのだ、と言うことでしょう。

『論語』にも「子四を絶つ。意なく、必なく、固なく、我なし」（孔子は、主観的な私意、必ずやり通そうとする無理押し、頑固に自分を守り通そうとするかたくなさ、自分のことだけを考える我執という、ふつうの人の陥り易いものを絶ち切っていた）とあるように、「こだわらないこと、固執しないこと」は東洋思想の聖人や君子のあり方の鍵の一つです。

老子も「上善水のごとし」（最上の善なるあり方は水のようなものだ）と言っています。形も持たず、こうあるべき、という前提や欲望もなく、どんなところにも入っていき、どんな形にもあわせることができ、結論を持たず求めず、自由自在な「水」に、人としてのあり方の理想を見ているのです。

ネガティブ・ケイパビリティの生みの親・キーツは、ネガティブ・ケイパビリティとは「事実や理由をせっかちに求めず、不確実さや不思議さ、懐疑のなかにいられる能力」だとしました。ほかにも、ネガティブ・ケイパビリティの主に欧米の研究者は、「どうにも答えの出ない、どうにも対処しようのない事態に耐える能力」、「曖昧さやパラドックスと共存し、それを許容する能力」「違和感を抱えたまま、とどまる力」

と定義・説明していると述べました。

こういった「居続ける」、「耐える」、「許容する」、「とどまる」という能力に対し、東洋思想では、「こだわりを手放す」、「何にも心を捉えられない」ことがより重視されているようです。

東洋思想におけるネガティブ・ケイパビリティ発揮の究極の姿とは、ポジティブ・ケイパビリティとの区別も考えず、ネガティブ・ケイパビリティを発揮せねばと思うこともなく、発揮していることすら意識せず、自分の心にも外界にも何にもこだわることのない存在を支えるものなのかもしれません。

おわりに　本当に大事なものを見落とさないために

ネガティブ・ケイパビリティについてあれこれ思いを馳せていたとき、たまたま読んでいた臨済宗円覚寺派管長の横田南嶺氏の『禅と出会う』という本で、坂村真民氏の「大木」という詩に出会いました。

大木たちがわたしに教えてくれた一番忘れられない話は
根の大事さということであった
目に見えない世界と目に見える世界とがある
美しい葉や美しい花や美しい実は見える世界であるが
それらをそうさせる一番大切なのは大地に深く根を張り
夜となく昼となくその木を養っている
幾千幾万の根の働きということであった
わたしは大木の下に坐してそうした話に聞き入り

元気を取り戻してはまた歩き出していった
目をつぶるとそれらの木々たちが
いまもわたしに話しかけてくる

そして、横田南嶺氏は次のように「根」の大事さを説かれています。

根があるから、立っているのです。目に見える世界というのは、地上の幹や枝や葉や花。地面の下は目に見えない世界です。しかし、その世界がないわけではありません。地面の下の根がなければ、木は立つことができないのです。大切なのは根です。根はどのくらい伸びて張っているかというと、枝が伸びている幅くらいに張っているのです。根が張っているところまで枝が伸びていく。だから木というのはバランスが取れていて倒れない。逆に、根が小さいまま枝が大きく伸びたら、倒れてしまいます。

ネガティブ・ケイパビリティは根なのですね！　それが深くしっかりしていればいるほど、葉や花のように目に見えて人々に評価されるポジティブ・ケイパビリティが繁り、花開くのですね。私はよく「高く跳ぶためには、深くかがまなくてはならない」というのですが、まさしく、豊かなネガティブ・ケイパビリティがあることで、豊かなポジティブ・ケイパビリティが発揮できるのだ、と思うのです。

ちなみに、この『禅と出会う』にも「ネガティブ・ケイパビリティ」が出てきて、ちょっとびっくりしました。

長年やってきて学んだことの一つは、どの問題もそう簡単に答えは出ない、その答えの出ない問題をずっと抱えて生きていくというところに、深い意味があるのだということです。今風に言えば、「ネガティヴ・ケイパビリティ」というのでしょうか。答えの出ない問題に向き合い続ける力。これは禅の問題と通じるところがあると思いました。

すぐに答えが出るものというのは、あまり大したものではありません。本当のものは、答えが出ない。そういうものを抱き続けて、忘れずに抱え続けると、いろんな発見がある。

「本当のものは答えが出ない」――そういうものを抱き続ける力、葉や花を地中深く支える力であるネガティブ・ケイパビリティを、自分自身にも、部下や子どもたち、まわりの人たちにも深くはぐくんであげること。これは、特にこれからのVUCAの時代に生きていくことを考えると、本当に大事なことではないでしょうか。

ネガティブ・ケイパビリティについて考えを深めていくなかで、「**ネガティブ・ケイパビリティは、本質的な解決策や共感、創造性のためのスペースとして重要なだけではなく、私たち人間の人間らしい生き方にとっても重要なのだ**」と思うようになりました。

今から100年ほど前に出版された『パパラギ』(E・ショイルマン著)は、ヨーロッパを訪れた南海の酋長ツイアビが帰国後パパラギ(=白人)たちの「文明社会」に触れた驚きを島の人々に語って聞かせた演説をまとめたというものですが、このようなくだりがあります。

「パパラギは、いつでも早く着くことだけを考えている。彼らの機械の大部分は、目的に早く着くことだけがねらいである。早く着けば、また新しい目的がパパラギを呼ぶ。こうしてパパラギは、一生、休みなしに駆け続ける」。そして、「投げられた石のように人生を走る」。

文化人類学者・環境活動家の辻信一氏は、『パパラギ』のこの部分を引用して、「留まること」の大事さを強調します。

より速く、より遠くへと動くことばかりに専心しているうちに、「留まること」の価値を忘れてしまったようだ。いや、「留まること」に対する恐怖や不安が、ぼくたちに投げられた石のような人生を強いていると言ったほうがいいかもしれない。

どちらにしても、「留まるな、動き続けよ」という要請が、ぼくたちをますます窮地に追い込んでいるのではないか。なぜなら、「留まること」を知らない者に、意味のあるつながりをつくり、育み、維持することはできないだろうから。留まることなしに、「共に生きること」は難しい。

「留まること」への恐怖は、「今、ここ」に対する軽蔑から生まれる。それはまた、時間とはひとつの方向に向かって流れるという直線的な時間観や、歴史というものが常によりよいものへ向けて進歩するものだとする進歩史観に基づいている。つまり、ぼくたちはみな、今よりももっとよい「いつか」をめざし、ここよりももっとよい「どこか」に向かっている、という観念だ。こう考えると途端に、ぼくたちが生きている「今、ここ」の風景はしなびて、貧相に見えてくる。(中略)

動けば動くほど「共に生きること」はますます難しくなり、加速すればするほどつながりは壊れる。つながるためには、そして共に生きるためには、まずは立ち止まること、相手を待つこと、あるいは相手に「待ってもらうこと」、そしてその上でさらにしばし留まることが必要だ。相手が人間であれ、人間以外の生きものであれ、また自分自身であれ。もしぼくたちが「共に生きること」を人生の本質的な価値だと考えるなら、もう一度、その相手とおり合いのつくところまでスローダウンしなければならない。

「おり合い」を今では「折り合い」と書くが、もともとは「居り合い」なのだそうだ。お互いに、居る（いる）ことによって、つまりしばしここに留まってはじめて、おり合いがつく。

辻氏はさらに、私たちはBE（いる）のhuman-being（人類）のはずなのに、DO（する）ばかりのhuman-doingになっていないか?と問いかけます。あなたは、human-being？　それともhuman-doingになってしまっているでしょうか?

さて、私にとって、翻訳、執筆、講演、研修、現場での活動と、見かけはいろいろでも、行ってきたこと・行っていることの根っこはすべて1つ、「大事なものとのつながりを取り戻すお手伝い」です。人は自分と自分の大事なものとのつながりが切れたとき、メンタルな問題を抱える。私たちと地球とのつながりが切れたときに、環境問題が生じる。地域とのつながりが切れたときに、地域社会の問題が起こる、と信じているからです。

本書を書き進める中で、「**大事なものとのつながりを取り戻す**」ためにも、ネガティブ・ケイパビリティが必要だ、という思いを強くしました。見失ってしまった大事なものとのつながりを見つけるためにも。そして、そのつながりをもう一度つなぐためにも。

最後に、本書を書くプロセスそのものがネガティブ・ケイパビリティを発揮する旅となりました。

この旅路を共に歩みながら優れたリサーチ力でサポートしてくれた新津尚子さん、ネガティブ・ケイパビリティについて雑談する中で、私にはなかった視点を提供してくれた光村智弘さん、そして、いつも私を強力に温かくサポートしてくれているスタッフのみなさんに、ありがとう！　本書の企画を持ちかけてくれ、ネガティブ・ケイパビリティを発揮して、じっと書きあがるのを待ち、一緒に本書を作ってくれたイースト・プレスの山内壮さんにも感謝しています。

本書がみなさんのネガティブ・ケイパビリティと幸せのお役に立ちますように！

枝廣淳子

◆主要参考文献◆

赤羽雄二『ゼロ秒思考』(ダイヤモンド社、二〇一三)

H・アンダーソン(野村直樹・青木義子・吉川悟訳)『新装版 会話・言語・そして可能性―コラボレイティヴとは?セラピーとは?』(金剛出版、二〇一九)

池上彰『池上彰が読む小泉元首相の「原発ゼロ」宣言』(径書房、二〇一三)

伊與田覺『「中庸」に学ぶ』(致知出版社、二〇一一)

D・W・ウィニコット(牛島定信訳)「交流することと交流しないこと:ある対立現象に関する研究への発展」『情緒発達の精神分析理論』(岩崎学術出版社、一九七七)

上島博『イラスト版子どものレジリエンス:元気、しなやか、へこたれない心を育てる56のワーク』(合同出版、二〇一六)

枝廣淳子『レジリエンスとは何か:何があっても折れないこころ、暮らし、地域、社会をつくる』(東洋経済新報社、二〇一五)

枝廣淳子『好循環のまちづくり!』(岩波書店、二〇二一)

枝廣淳子・小田理一郎『なぜあの人の解決策はいつもうまくいくのか?―小さな力で大きく動かす! システム思考の上手な使い方』(東洋経済新報社、二〇〇七)

R・カーソン(上遠恵子訳)『センス・オブ・ワンダー』(新潮社、二〇二一)

河合隼雄『Q&Aこころの子育て―誕生から思春期までの四八章』（朝日新聞社、二〇〇一）
河合隼雄・谷川浩司『無為の力―マイナスがプラスに変わる考え方』（PHP研究所、二〇〇四）
J・キーツ（田村英之助訳）『詩人の手紙』（冨山房、一九七七）
H・グラント・T・ゴールドハマー「自分の脳について無知なままでは、不確実性に対処することはできない先の読めない環境で成功を収める3つの戦略」『ハーバード・ビジネスレビュー』（二〇二一）
孔子（金谷治訳注）『論語』（岩波書店、一九九九）
呉兢（守屋洋訳）『貞観政要』（筑摩書房、二〇一五）
子どものレジリエンス研究会編著『レジリエンス 実践・教材集』（子どものレジリエンス研究会、二〇二二）
M・サイド『多様性の科学 画一的で凋落する組織、複数の視点で問題を解決する組織』（ディスカヴァー・トゥエンティワン、二〇二一）
佐山昭彦「大自然と体心正しい姿勢で腹式呼吸ストレスを取り除く静坐法」『致知』（致知出版社、二〇〇四年四月号）
C・O・シャーマー（中土井僚・由佐美加子訳）『U理論［第二版］――過去や偏見にとらわれず、本当に必要な「変化」を生み出す技術』（英治出版、二〇一七）

E・ショイルマン（岡崎照男訳）『パパラギ　はじめて文明を見た南海の酋長ツイアビの演説集』（SBクリエイティブ、二〇〇九）
P・センゲ（枝廣淳子・小田理一郎・中小路佳代子訳）『学習する組織——システム思考で未来を創造する』（英治出版、二〇一一）
沢庵宗彭（池田諭訳）『沢庵 不動智神妙録』（たちばな出版、二〇一一）
辻信一『「しないこと」リストのすすめ　人生を豊かにする引き算の発想』（ポプラ社、二〇一五）
土居健郎『新訂 方法としての面接—臨床家のために』（医学書院、一九九二）
帚木蓬生『ネガティブ・ケイパビリティ　答えの出ない事態に耐える力』（朝日新聞出版、二〇一七）
濱中香理「島根県海士町「挑戦する人」への覚悟が醸成された戦略策定」『しま』二四四号（公益財団法人「日本離島センター」、二〇一六）
T・N・ハン（島田啓介・馬籠久美子訳）『ブッダの幸せの瞑想【第二版】』（サンガ、二〇一五）
W・R・ビオン（福本修・平井正三訳）「第四部　注意と解釈」『精神分析の方法II〈セブン・サーヴァンツ〉』（法政大学出版局、二〇〇二）
C・B・フレイ、M・A・オズボーン『日本におけるコンピューター化と仕事の未来』（野村

総合研究所、二〇一五)
D・ボーム、P・M・センゲ(金井真弓訳)『ダイアローグ——対立から共生へ、議論から対話へ』(英治出版、二〇〇七)
松下幸之助『実践経営哲学』(PHP研究所、二〇〇一)
松下幸之助『素直な心になるために』(PHP研究所、二〇〇四)
村上春樹『職業としての小説家』(新潮社、二〇一六)
孟子(小林勝人訳)『孟子 上』(岩波書店、一九六八)・『孟子 下』(岩波書店、一九七二)
山鳥重『「わかる」とはどういうことか——認識の脳科学——』(筑摩書房、二〇〇二)
横田南嶺『禅と出会う』(春秋社、二〇一二)
老子(蜂屋邦夫訳)『老子』(岩波書店、二〇〇八)

R. Brand, *A qualitative research study about the application of Negative Capability in the leadership context–The discovery of a hidden diamond to cope with disruptive change* (2016)
R. Chia, "Reflections: In Praise of Silent Transformation - Allowing Change Through 'Letting Happen'," *Journal of Change Management*, 14.1 (2014)
K. Eisold, "The rediscovery of the unknown: An inquiry into psychoanalytic praxis" *Contemporary Psychoanalysis*, 36.1 (2000)

R. French, P. Simpson & C, Harvey "'Negative Capability': A contribution to the understanding of creative leadership" In B. Sievers, H. Brunning, J. De Gooijer, & L. Gould(Eds.), *Psychoanalytic studies of organizations: Contributions from the International Society for the Psychoanalytic Study of Organizations* (Karnac Books, 2009)

C. B. Frey & M. A. Osborne "The future of employment: How susceptible are jobs to computerisation? " *Technological forecasting and social change,* 114 (2017)

A. Hay "'I don't know what I am doing!': Surfacing struggles of managerial identity work" *Management Learning,* 45 (2014)

A. Hay & J.Blenkinsopp "Anxiety and human resource development: Possibilities for cultivating negative capability" *Human Resource Development Quarterly* (2018)

S. Saggurthi & M. Thakur "Usefulness of Uselessness: A Case for Negative Capability in Management" *Academy of Management Learning & Education,* 15 (2016)

P. Simpson, & R. French "Negative capability and the capacity to think in the present moment: Some implications for leadership practice" *Leadership,* 2.2 (2006)

枝廣淳子

大学院大学至善館教授、有限会社イーズ代表取締役、株式会社未来創造部代表取締役社長、幸せ経済社会研究所所長、環境ジャーナリスト、翻訳家
東京大学大学院教育心理学専攻修士課程修了。『不都合な真実』(アル・ゴア氏著) の翻訳をはじめ、環境・エネルギー問題に関する講演、執筆、企業のCSRコンサルティングや異業種勉強会等の活動を通じて、地球環境の現状や国内外の動きを発信。持続可能な未来に向けて新しい経済や社会のあり方、幸福度、レジリエンス(しなやかな強さ)を高めるための考え方や事例を研究。「伝えること」で変化を創り、「つながり」と「対話」でしなやかに強く、幸せな未来の共創をめざす。
心理学をもとにしたビジョンづくりやセルフマネジメント術でひとり一人の自己実現をお手伝いするとともに、システム思考やシナリオプランニングを生かした合意形成に向けての場づくり・ファシリテーターを、企業や自治体で数多く務める。教育機関で次世代の育成に力を注ぐとともに、島根県隠岐諸島の海士町や徳島県上勝町、宮城県気仙沼市、熊本県南小国町、北海道の下川町等、意志ある未来を描く地方創生と地元経済を創りなおすプロジェクトにアドバイザーとしてかかわっている。

答(こた)えを急(いそ)がない勇気(ゆうき)

ネガティブ・ケイパビリティのススメ

2023年2月22日　第1刷発行
2024年7月 3 日　第2刷発行

著　者　枝廣淳子(えだひろじゅんこ)
デザイン　藤塚尚子(etokumi)
発行人　永田和泉
発行所　株式会社イースト・プレス
〒101-0051
東京都千代田区神田神保町2-4-7　久月神田ビル
Tel.03-5213-4700　Fax.03-5213-4701
https://www.eastpress.co.jp
印刷所　中央精版印刷株式会社

ISBN 978-4-7816-2176-0